JN076467

自転車とさんぽで

日本遺産・倉敷めぐり

「一輪の綿花から始まる倉敷物語」を訪ねて

歴史・技術・感性が融合する繊維のまち倉敷

400年前まで倉敷周辺は一面の海でした。
近世からの干拓（かんたく）は人々の暮らしの場を広げ、
そこで栽培された綿やイ草は足袋や花筵（はなむしろ）などの織物生産を支えました。
明治以降、西欧の技術を取り入れて開花した繊維産業は
「和」の伝統と「洋」の技術を融合させながら発展を続け、
現在、倉敷は年間出荷額日本一の「繊維のまち」となっています。
倉敷では広大な干拓地の富を背景に生まれた
江戸期の白壁商家群の中に、
近代以降、紡績により町を牽引（けんいん）した人々が建てた洋風建築が
発展のシンボルとして風景にアクセントを加え、
訪れる人々を魅了しています。

現在の倉敷の様子

倉敷市の日本遺産ストーリー1

一輪の綿花から始まる倉敷物語
～和と洋が織りなす繊維のまち～

倉敷はかつて「吉備の穴海」の中にありましたが、高梁川の沖積作用と干拓事業により陸続きに広がりました。塩分を含んだ土地には綿やイ草が植えられて、新しい産業がおこり、港が賑わい、暴れ川も改修された倉敷は、和と洋が織りなすまちになりました。

『日本書紀』にも書かれているように、古代の岡山県南には「吉備の穴海」が広がり、倉敷市域は連島や乙島、柏島が浮かぶ遠浅の海の中にありました。

ところが古墳時代以降、中国山地で砂鉄の採集が盛んになると、砂鉄以外の大量の土砂が川に流されるようになり、高梁川下流域は天井川に、吉備の穴海は浅海に変わっていきました。

16世紀の終わり頃、岡山城主・宇喜多秀家は、領内に広がる遠浅の海に堤を築き、干拓事業に着手しました。17世紀には備中松山藩が玉島の海を干拓して港町を造り、高瀬通しを開削して港と高梁川を結びました。

まだ島だったころの鶴形山南山麓には、年貢米を一時貯蔵する蔵が建てられました。こうした備蓄地を倉敷地と呼びます。「倉敷」という地名は「倉敷地」に由来するともいわれています。平野が広がると汐入運河が開削され、蔵は川船の着く倉敷川沿いに建てられるようになりました。倉敷美観地区の基礎景観はこうして形づくられてゆきました。

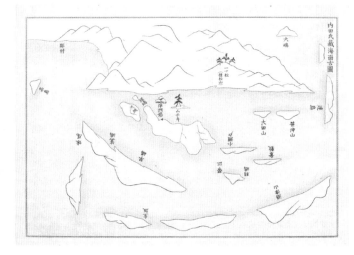

かつて海だった頃の
倉敷を描いた古図

　北前船が寄港した下津井港と玉島港には、綿の肥料となる干鰯やニシン粕などが陸揚げされました。弁才船とも呼ばれた北前船には備中綿や綿製品、塩のほか、煙草、鉄、銅、弁柄などが積み込まれ、全国各地に運ばれていきました。

　海だった土地には塩分が含まれます。そこにはまず綿花とイ草が植えられ、綿から作られた小倉織や足袋などが、香川県の金刀比羅宮との両参りで賑わった由加山の門前町で商われました。児島では繊維生産業が、郷内などでは撚糸業が盛んになり、藺莚業は農家の副業として広く普及しました。

　明治時代になると下津井港を持つ塩業の町・児島に下村紡績、玉島港近くには玉島紡績が誕生し、倉敷代官所跡では倉敷紡績が創業しました。倉敷紡績第二代社長・大原孫三郎は事業拡張を行う一方で、工場ばかりでなく社屋や宿舎、銀行、発電所、病院や学校、日本初の私立西洋近代美術館・大原美術館などを建設しました。江戸時代の町並みと洋風建築、西洋建築が共存する倉敷の姿は、一輪の

綿花から生まれた産業景観だといえます。児島は小倉織や足袋から、軍服、学生服、ジーンズへと主力商品を変えながら織機の音を響かせ続け、帆布は国内生産の70%を占めるまでになりました。明治時代の中期、磯崎眠亀がイ草で創った高級花筵「錦莞莚」は、欧米で高く評価され、イ草の生産高は日本一になりました。倉敷の近代化を牽引したのは紡績業と藺莚業だったのです。

　高梁川下流域の降水量は全国平均の70%程しかなく、稲作に十分な水が確保されていたとはいえません。明治時代までは水争いがあとを絶たず、水を引くための樋門が無秩序に造られました。そのため、脆弱になった堤防が洪水のたびに切れ、天井川から溢れたおびただしい土砂と水が民家や農地を襲いました。明治時代の終わりから大正時代にかけて改修され、東高梁川を廃止して西高梁川に集約され、常に公平に水を配分する高梁川東西用水組合の取配水施設が酒津に完成しました。施設のまわりにはたくさんの桜が植えられ、市民の憩いの場として親しまれています。

1

美観地区
倉敷川畔コース

P.8〜

2

美観地区
本町・東町コース

P.20〜

3

児島
さんぽコース

P.36〜

高梁川東西用水取水配水施設 ——

—— 一の口水

玉島IC

山陽自動車道

新倉敷

羽黒神社

6

—— 旧柚木家住宅（西爽亭）
—— 玉島町並み保存地区

JR伯備線

井原鉄道

1

JR倉敷駅

天満屋倉敷店

BIOS（センター街）

くらしきシティ
プラザ西ビル

倉敷中央病院 ●

旧第一合同銀行 倉敷支店

楠戸家住宅

大橋家住宅

阿智神社 ●
● 鶴形山公園

有隣荘
井上家住宅
倉敷考古館

語らい座 大原本邸
（旧大原家住宅）

倉敷館

倉紡記念館

大原美術館

倉敷民藝館

倉敷アイビー
スクエア

倉敷市芸文館

山陽新幹線

JR 山陽本線

倉敷IC

中庄

早島

倉敷

磯崎民亀記念館
錦莞莚

茶屋町

水島IC

板敷水門

瀬戸中央自動車道

由加山 由加神社本宮

由加山 蓮台寺

JR瀬戸大橋線

旧野﨑家住宅

3

児島

4

児島IC

旧野﨑浜灯明台

祇園神社

5

津井町並み保存地区

かし下津井回船問屋

1

白壁の町で繁栄の歴史と芸術にふれる

美観地区
倉敷川畔コース

江戸時代に運河として利用された倉敷川を中心に、白壁の土蔵
や町家が建ち並ぶ美観地区。豪商の屋敷や近代建築が多く残り、
繊維産業で花開いた往時の面影をしのばせています。和と洋が
織りなす白壁の町をめぐりながら、倉敷の歴史と文化、芸術にふ
れる一日を。

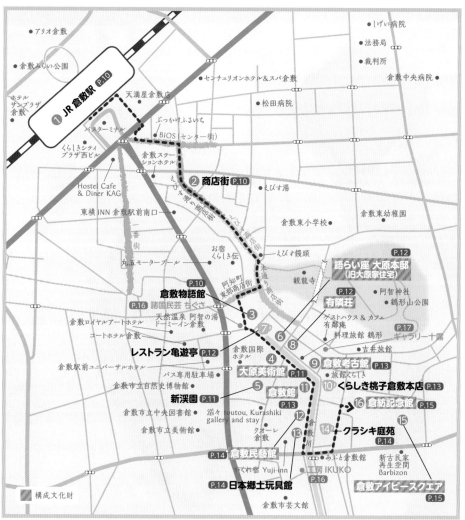

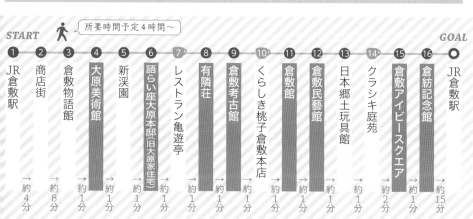

START 🚶 所要時間予定4時間～ **GOAL**

❶ JR倉敷駅 →約4分 ❷ 商店街 →約8分 ❸ 倉敷物語館 →約1分 ❹ 大原美術館 →約1分 ❺ 新渓園 →約1分 ❻ 語らい座大原本邸(旧大原家住宅) →約1分 ❼ レストラン亀遊亭 →約1分 ❽ 有隣荘 →約1分 ❾ 倉敷考古館 →約1分 ❿ くらしき桃子倉敷本店 →約1分 ⓫ 倉敷館 →約1分 ⓬ 倉敷民藝館 →約1分 ⓭ 日本郷土玩具館 →約1分 ⓮ クラシキ庭苑 →約2分 ⓯ 倉敷アイビースクエア →約1分 ⓰ 倉紡記念館 →約15分 ○ JR倉敷駅

構成文化財

美観地区まで徒歩10分。ここからスタート！

❶ JR倉敷駅（南口）

駅の北側にはアウトレットやショッピングモールが隣接。JR倉敷駅南口レンタカーにはレンタサイクルがあります。

【駅レンタカー 倉敷営業所】倉敷駅南口を出て右側へ20m　☎086-422-0632　🕐8:00〜20:00（受付は19:00まで、12:00〜13:00受付不可）　🈺年中無休　💰4時間まで450円、4時間を超え1日は500円

5つの商店街を歩いて美観地区へ

❷ 商店街

古い店や新しい店がさまざまに楽しめる倉敷の商店街。倉敷センター街からえびす通り商店街、えびす商店街、本通り商店街、阿知町東部商店街を散策しながら美観地区へと向かいます。

倉敷センター街

えびす通り商店街

情緒あふれる倉敷の観光の拠点

❸ 倉敷物語館
（日本遺産インフォメーション）

江戸時代の旧東大橋家住宅を改修した施設。日本遺産を紹介した展示があります。

☎086-435-1277　🕐4月〜11月／9:00〜21:00、12月〜3月／9:00〜19:00　🈺年末年始（12/29〜1/3）　💰無料（貸室利用は有料）

まずはここで
倉敷の日本遺産を学ぼう！

ギリシャ神殿を彷彿とさせる本館の外観

世界中の名だたる名画や美術品に出合える

❹大原美術館

倉敷の実業家大原孫三郎が画家児島虎次郎を記念して1930年に設立した日本初の西洋近代美術館。世界的名画のみならず日本の近現代美術、東アジアの古美術まで約3000点もの作品を収蔵し、モネの睡蓮（すいれん）が咲く庭など多くの見どころがあります。

☎086-422-0005　🕘9:00〜17:00（入館は16:30まで）　🈺月曜日（祝日、夏休み期間、10月は除く）、年末年始（12/28〜12/31）　※1/1は本館のみ開館　💴大人（18歳以上）1,500円、高・中・小学生500円

分館には日本の洋画や彫刻を展示

クロード・モネ「睡蓮」
（大原美術館所蔵）

写真奥：アマン＝ジャン「ヴェニスの祭」（大原美術館所蔵）

敷地の北側にはミュージアムショップを併設（営業時間9:00〜17:15）

四季折々の美しい庭園風景に癒される

❺新渓園

1893年に大原家の別荘として建てられた伝統建築物。無料で見学でき、広い和室から庭の眺めを楽しめます。

☎086-422-0338　🕘9:00〜17:00　🈺年末年始（12/29〜1/3）　💴無料（貸館は有料）

🌳マークのスポットは日本遺産構成文化財です。

倉敷の歴史を今に伝える、伝統の町家建築

❻語らい座 大原本邸 🌿
（旧大原家住宅）

大原家の屋敷として1795年に建設。倉敷格子やなまこ壁といった意匠が施され、主屋や土蔵など全10棟が国の重要文化財に指定。

☎086-434-6277 ⏰9:00〜17:00 休月曜日（祝日は除く）、年末年始 ※貸切りの場合あり 💴大人500円、高・中・小400円

インスタレーションのひとつ、「ふりそそぐ言葉」　　蔵書の一部が飾られたブックカフェ

一日限定15食の「倉敷川舟ステーキ膳」2,200円

GOURMET

地産地消の味を楽しむ老舗レストラン

❼レストラン亀遊亭

明治時代に建てられた建物で瓦屋根の外観をそのまま生かした地産地消のレストラン。ホテル直営の洗練されたおいしさを、カジュアルな雰囲気で楽しめます。

☎086-422-5140 ⏰11:00〜21:00（OS20:30）※時間は変動あり 休水曜日

緑の瓦屋根が目印の、大原家別邸

❽有隣荘 🌿

大原孫三郎が夫人のために建てた別邸。瓦屋根は見る角度によって緑色に光ることから、通称「緑御殿」とも呼ばれています。現在は大原美術館の特別展示期間のみ公開されています。

☎086-422-0005（大原美術館）⏰特別公開日のみ見学可能 休公開日以外 💴公開日の企画展示により異なる

貴重な発掘品
が並ぶ展示室

古代吉備の歴史に思いをはせる

❾ **倉敷考古館**

江戸時代の米蔵を改装し、1950年に開館。
岡山県を中心に、旧石器時代から中世まで
の土器や石器といった出土品700点ほどを
展示しています。

☎086-422-1542　🕐9:00〜17:00(入館は16:30まで)
🈳月・火曜日(祝日・振替休日は開館)、年末年始(12/27
〜1/2)　💴大人500円、大学・高校生400円、中学・小学
生300円　※特別展示等により料金変動あり

果物王国・岡山の旬の恵みを優雅に味わう

❿**くらしき桃子倉敷本店**

岡山産フルーツを使ったデザートやド
リンクが楽しめるカフェ。

☎086-427-0007　🕐10:00〜17:00(OS16:30)
🈳なし

2階カフェにはエミール・ガレのガラス作品を展示

桃とレモンの
パフェ1,760円

大正時代の洋館を、美観地区観光のオアシスに

⓫**倉敷館**

1917年に倉敷町役場として建てられた洋風
木造建築。現在は観光案内所で休憩スペー
スもあります。

☎086-422-0542(観光案内所)　🕐9:00〜18:00(年末
年始は変更あり)　🈳なし　💴無料

和の町並みに洋の建物が溶け込んだ、
美観地区を印象づける場所

 マークのスポットは日本遺産構成文化財です。　13

用の美を極めた、古今東西の民芸品を展示

倉敷民藝館 🌳

国内2番目に設立された民藝館。江戸時代の米倉を
改装した建物には、国内外から集めた約1万5000点
の民藝品を収蔵。陶磁器や木工、漆器など時代を超
えて受け継がれた上質な品々が並びます。

☎086-422-1637 ⏰3月〜11月／9:00〜17:00（入館は16:45まで）、
12月〜2月／9:00〜16:15（入館は16:00まで）　休月曜日（祝日の場
合は開館、8月は無休）、年末年始（12/29〜1/1）　料大人1,000円、
大・高生400円、小・中生300円　※団体は20名以上で割引あり

黒い貼り瓦が美しい外観

アート作品とは違い、
陶磁器や木工など
日常用いるものの美
を体感しよう

すずりに水を注ぐための「水滴」

中庭の
眺めも格別

眞鍋芳生・張り子
（桃太郎誕生）

懐かしい玩具や工芸品を一堂に集めた博物館

⓭日本郷土玩具館

江戸時代から現代にかけて日本全国で作られ
た郷土玩具を展示。敷地内には、ショップ、ギャ
ラリー、カフェなどを併設しています。

☎086-422-8058（10:00〜17:00）　⏰ショップ10:00〜
18:00（3〜10月は9:30〜18:30）、博物館10:00〜17:00（3
月〜10月は9:30〜）　休1/1　料大人400円、高・中300円、
小200円　※博物館のみ

フリースペースや中庭もあるよ

GOURMET

個性豊かな4店舗を展開

⓮クラシキ庭苑

築100年超の町家を官民連携で複合施設へと
再生。カフェや帽子店、バーなど4店舗が並
ぶ。

☎ 086-425-0050（Koba
coffee）⏰店舗により異なる
休店舗により異なる

間口は狭いが、
実は奥に長い空間が

紡績工場を改築したクラシカルな空間

⑮倉敷アイビースクエア

明治期、旧代官所の跡地に創設された倉敷紡績所（現クラボウ）の工場を改装し、ホテルや記念館などに活用した複合文化施設。日本の近代化産業遺産に指定されています。

☎086-422-0011　🕐施設により異なる　休施設により異なる　💰施設により異なる

> 敷地内はホテルやレストラン、体験工房などがあるよ

倉敷発展の歴史が分かる、貴重な産業遺産

⑯倉紡記念館

写真や文書などの貴重な資料を通して、クラボウと紡績産業の歩みを辿ることができます。

☎086-422-0011　🕐9:00～17:00(入館は16:45まで)　休なし　💰大人300円、大・高・中・小学生250円

「倉敷アイビースクエア」内に位置

資料の数々が並ぶ展示室

🌳マークのスポットは日本遺産構成文化財です。

特集

倉敷の豊かな民芸品

日本遺産の構成文化財のひとつに、倉敷の民芸品があります。「民芸」とは、暮らしに役立つ、美しさをもった工芸品のこと。美観地区でも購入できるものを紹介します。

美しい縞模様の敷物
緞通

イ草や和紙、綿糸などを用いて作られた手織りの敷物。モダンな縞模様が特徴で、和・洋どちらにも合う飽きのこないデザイン。長く使い込める丈夫さも魅力です。

【工房IKUKO】☎086-427-0067 ◷10:00〜18:00
休月曜日（祝日の場合は営業）
【諸国民芸 ちぐさ】☎086-422-8170 ◷9:00〜17:00
休月曜

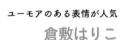

特産品を魅力あるアイテムに
イ草製品

調湿や浄化作用など、素材として優れた特性を持つイ草。かつて倉敷南部では綿と同様、塩に強い作物として良質なイ草の生産が盛んに行われました。現在も特産品として、畳や敷物、雑貨など多くのイ草製品が作られています。

【倉敷アイビースクエア 愛美工房売店】☎086-454-4061
◷8:00〜16:30 休不定休

ユーモアのある表情が人気
倉敷はりこ

生水多十郎氏が1869年に生み出したはりこで、県指定郷土伝統的工芸品に指定されています。愛嬌たっぷりの表情と動きが笑顔を誘い、縁起物としても喜ばれています。

【日本郷土玩具館】☎086-422-8058(10:00〜17:00)
◷ショップ10:00〜18:00(3〜10月は9:30〜18:30)
休1/1

暮らしになじむ素朴な椅子敷

倉敷ノッティング

綿や羊毛の糸160本の束を縦糸にして結んでいく手織物の椅子敷。厚手のふんわりとした質感、木の家具に調和する素朴さが、世代を超えて愛されています。

【林源十郎商店 2F shop & cafe 三宅商店】 ☎086-423-6080 🕐10:00〜18:00　cafe11:00〜17:00　🈺月曜日（祝日の場合は営業、翌日休み）

ずっと眺めたくなる愛らしさ

倉敷手まり

熊本の肥後てまりをルーツに、民藝運動の先駆者外村吉之介氏が指導。木綿糸の風合いと、繊細な刺繍による和風の幾何学模様が素朴ながら美しい逸品です。

【倉敷民藝館 ショップ】 ☎086-422-1637　🕐3月〜11月／9:00〜17:00（入館は16:45まで）、12月〜2月／9:00〜16:15（入館は16:00まで）　🈺月曜日（祝日の場合は開館、8月は無休）、年末年始（12/29〜1/1）　🈯大人1,000円、大・高生400円、小・中生300円

温もりあふれる日常使いのガラス

倉敷ガラス

作家、小谷真三氏と小谷栄次氏が手がけるガラス作品。口吹きで作られる温かい質感と、「小谷ブルー」と呼ばれる深い色合い、使い勝手の良さが、多くの民芸ファンを虜にしています。

【日本郷土玩具館 サイドテラス】 ☎086-422-8058（10:00〜17:00）　🕐10:00〜18:00　🈺1/1

用の美を感じる倉敷最古の焼物

酒津焼

1869年に誕生した倉敷最古の焼物。厚手のどっしりしたフォルムと釉薬の深く艶のある色に特徴があります。花器や湯飲みなど、食卓や日常を彩る器として種類も豊富です。

【ギャラリー十露】 ☎086-423-2577　🕐10:00〜18:00（12〜2月は17:00まで）　🈺なし（不定休あり）

ちょっと足をのばして

茶屋町

〈アクセス〉
・JR岡山駅から瀬戸大橋線で茶屋町駅まで約14分
・倉敷駅前から下電バス茶屋町駅前行きで約25分
・JR茶屋町駅から磯崎眠亀記念館まで徒歩5分

世界に誇る錦莞莚の創始者

Ⓐ磯崎眠亀記念館 🌸
（いそざきみんき きねんかん）

岡山特産のイ草を使った花莚「錦莞莚」を発明した磯崎眠亀の功績を称えた記念館。眠亀の住宅兼研究室を改修し、作品や資料、貴重な織機などを展示しています。荷物を運搬しやすいよう2階へはスロープが設けられ、訪問者を確認するスライド式の覗き窓も。発明家らしい眠亀のアイデアが随所に見られます。

☎086-428-8515　🕘9:00～16:30　休月曜日(祝日の場合は翌日)、年末年始(12/28～1/4)、その他　無料

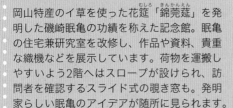

覗き窓

貴重な研究資料や写真を数多く展示

スロープ

イ草で織ったとは思えない緻密な技法

バラをかたどった文様

予約制で手織り体験ができる「花むしろ工房」

 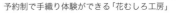 🌸マークのスポットは日本遺産構成文化財です。

国内屈指の展示数を誇る、刀剣専門美術館

Ⓑ 倉敷刀剣美術館

日本刀の名作から現代刀まで多数展示。美術刀剣の奥深い魅力にふれることができます。

☎086-420-0066 　🕐10:00〜18:00（入館は17:30まで）
🈺月曜日（祝日の場合は翌日）
🈷年間パスポートとして、一律1,000円　※小学生以下無料

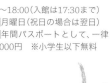

約9品が並ぶ「みどり河御膳」2,200円。内容は季節により異なる

四季折々の本格和食を、気軽に味わえる

Ⓒ 四季の味 みどり河

この地に根差して約20年の人気和食店。瀬戸内の旬な食材を生かした上品な味が幅広い世代に親しまれています。

☎086-428-1147 　🕐11:00〜14:00、17:30〜OS21:30（入店20:00まで）
🈺木曜日

コラム

錦莞莚
きんかんえん

　「錦莞莚」とは、倉敷市茶屋町の磯崎眠亀により1878年に発明された花莚の一種。

　緻密な織込技法と、画期的な染色法による華やかな模様が特徴の「錦莞莚」。江戸から故郷の茶屋町に戻った磯崎眠亀は、地元特産のイ草を使った織物で岡山の産業を興そうと考え、美しい花莚を作るために研究に没頭します。自宅の2階に籠もり、織機の開発や試作づくりに明け暮れること4年。苦労の末、究極の織物「錦莞莚」が完成しました。

　明治期には岡山県の特産品として海外へ輸出され、その精巧な美しさが高く評価されるようになり、日本を代表する重要輸出品となりました。

　当時の常識を超えた「錦莞莚」の技術は、今の機械や技術でも再現が難しいとされ、偉大

東海富嶽図

錦莞莚の創始者
磯崎眠亀

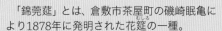

な発明品として日本の産業に大きく貢献しました。その偉業は日本の繊維産業を語る上で欠かせないものとして語り継がれています。

　2004年には倉敷市の重要文化財に指定されました。

2

新旧の魅力にあふれた路地を散策

美観地区
本町・東町コース

町家や土蔵を改装したレストランや雑貨を取り扱う店舗が軒を連ねる、本町・東町界隈。古き良き町並みの中に、人々の暮らしと文化が息づく魅力的なエリアです。時代を超えて受け継がれるモノ、ヒト、コトとの出会いを通じて、倉敷の今を感じることができます。

美観地区まで徒歩10分。ここからスタート！

❶JR倉敷駅（南口）

南口を出て右手、中央大通り西側の歩道橋を渡ったところに、倉敷一番街の入り口があります。

JR倉敷駅南口レンタカーと一緒にレンタサイクルあり
【駅レンタカー 倉敷営業所】倉敷駅南口を出て右側へ20m ☎086-422-0632 ⏰8:00〜20:00（受付は19:00まで、12:00〜13:00受付不可） 🗓年中無休 💴4時間まで450円、4時間を超え1日は500円

西側の歩道橋を渡ろう

美観地区への道のりに続く、もう一つの商店街

❷倉敷一番街

こぢんまりとした昭和レトロな雰囲気ただよう倉敷一番街。南に300mほど伸びる通りには飲食店や居酒屋が多く、夜も観光客や地元客でにぎわっています。

倉敷駅前から見える、倉敷一番街の入り口

通りを散策しながら、大橋家住宅へ

国の重要文化財に指定。格式高い町家建築

③

江戸時代に新田開発で財を成した大橋家の邸宅。長屋門や主屋、米蔵、内倉が国指定重要文化財であり、倉敷の代表的町家建築の一つに数えられています。

086-422-0007　9:00〜17:00(4月〜9月の土曜日は〜18:00)　12月〜2月の金曜日、年末年始(12/28〜1/3)　大人550円、小・中学生350円、65歳以上350円

庭の奥にある主屋入り口。風格のある佇まい

どの部屋からも庭が見える造り

長屋門

古民家を再生し、地元の食文化を発信

④奈良萬の小路

閉館した旅館と、古民家「白井邸」を官民連携で再生。和食店やイタリアン、カフェなど8店が入り、高梁川流域の食材を使った地元食文化の発信地として注目されています。

施設により異なる

倉敷中央通り

通路の奥には中庭が広がる

マークのスポットは日本遺産構成文化財です。

暮らしを豊かにする良品を探しに

❺林源十郎商店

江戸時代から残る製薬会社の建物を官民連携で再生し、「豊かな暮らし」をテーマにした衣食住のアイテムを扱う8店が集合。作家や職人による上質な日用品、倉敷発信の魅力あふれる商品の数々はどれも手にしたくなるものばかり。

🕐各店舗により異なる　📅月曜日(祝日の場合は営業、翌日休業)

倉敷のまちづくりに貢献した林家の記念室も。カフェや中庭、屋上などでゆったりくつろごう！

窓や屋上から美観地区の町並みが一望できる

小路のように広がる中庭スペース

「季節のジャムを味わうスコーンセット」850円

本館1階の「倉敷意匠アチブランチ」

ルネサンス様式の美しい洋風建築

❻

1922年、中国銀行の前身である第一合同銀行倉敷支店として竣工したルネサンス様式の建物。正面にはドーム型ステンドグラスが施され、現在は外観のみ見学可能。大原美術館の新しい展示館として生まれ変わるための工事が、2020年春より始まります。

🌳 マークのスポットは日本遺産構成文化財です。

会話と笑顔は弾む店内。
お客さん同士の縁が広がる

旅の合間にほっと一息。人との縁を結ぶ場所

⑦ 有鄰庵

築100年超の古民家を生かしたゲストハウス。併設カフェの名物「しあわせプリン」や「たまごかけごはん」など、岡山県産食材を使ったメニューが人気です。

☎086-426-1180　🕐カフェ11:00〜OS17:00(売り切れ次第終了)　ゲストハウス／チェックイン18:30〜20:00,チェックアウト〜10:00　🈔不定休　🈺宿泊日数、部屋により異なる

「たまごかけごはん」
単品650円

看板メニュー「しあわせプリン」400円

相部屋と部屋貸しの2タイプを選べる

1721年建築の、美観地区最古の町家

⑧

美観地区の最も古い町家として国の重要文化財に指定。こちらの倉敷窓には、ここでしか見られない防火用の片開き漆喰仕上げの土戸が設けられています。現在は保存・修理工事中で、公開は令和4年（2022年）の予定です。

086-426-3851(倉敷市文化財保護課)

「ひやさい」と呼ばれる建物横の細路地

井上家の外観。現在は修理中

落ち着きある空間で、旬の和食を堪能

⑨桜草

瀬戸内の鮮魚や旬菜を使った季節料理が味わえる
お店。食材の風味を生かした味付けや彩り豊かな
盛り付けが評判です。

☎086-426-5010　⏰11:30〜14:00（OS13:00）、
17:30〜22:00（OS21:30）　🏠月曜日、月1回不定期
日曜日

「松花堂弁当」
1,500円
※限定数

淡いピンクの
のれんが目印

ものづくりの楽しさを気軽に体験！

⑩クラシキクラフトワークビレッジ

官民連携で町家を複合施設へと 再生。倉敷のもの
づくりをテーマに、クラフトやハンドメイド製品
を取り扱う6店舗が入居。各店舗ごとの工房で手
作り体験や制作見学が楽しめます。

⏰施設により異なる　🏠木曜日

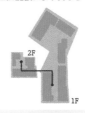

2F

1F

コラム

阿智神社と素隠居

　美観地区の一角、標高40mの鶴形山の山上
に鎮座する「阿智神社」。創祀1700年超の由
緒ある古社で、海の守護神である「宗像三女
神」が祭られ、海上安全、芸能上達、商売繁
盛などのご利益があるといわれています。
　阿智神社の秋の例大祭には、倉敷名物の
「素隠居」が登場します。これは、御神幸の獅
子に付き添って歩く翁と嫗の面をかぶった若
者のこと。1692年、阿智神社にほど近い戎
町の沢屋善兵衛が、寄る年波に勝てず、人形
師に頼んで面を作らせ、この面をかぶった若
者が代理として御神幸の行列に参加したこと
に始まるとされています。

阿智神社

美観地区に登場する
「素隠居」

　素隠居が持っているうちわで頭を叩かれる
と、賢くなる、健康になるなどの御利益があ
るといわれています。

目移りするほど魅力的な品揃え！

全国の美味しいものを集めたセレクトショップ

⓫倉敷 平翠軒（へいすいけん）

隣接する造り酒屋の店主が厳選して集めたのは、日々の暮らしに根付いた安心、安全で美味しい食の数々。2階にはギャラリーカフェを併設。

☎086-427-1147　🕐10:00〜18:00（月曜のみ13:00〜17:00）　休なし

穏やかな時間が流れる、小さな古書店

⓬蟲文庫（むしぶんこ）

店主の田中さんが25年以上営む、本町通り沿いの古書店。自然科学や文学、社会学などオールジャンルの古本約6000冊がそろいます。小出版社の新刊や店主の著書も販売。心穏やかに本と向き合い、お気に入りの一冊に出会えます。

☎086-425-8693
🕐11:00〜18:00
休不定休

店主著のエッセイ3冊

コラム

倉敷屏風祭 🌳

　美観地区の趣ある町並みを舞台に開催されるお祭り。本町から東町を中心に、約二十数軒の町家が格子戸をあけ放ち、先祖伝来の屏風や季節の生け花、各家の家宝を飾って訪問客をもてなします。江戸情緒あふれる町並みに美しい屏風が映え、いつもとは違う優雅な雰囲気が街ゆく人々の目を楽しませています。

　屏風祭は明治時代に一度途絶えたものの、平成になって有志により復活を遂げました。阿智神社の秋季例大祭がある日に合わせて毎年10月中旬に行われています。

屏風や家宝の品を飾り、訪問客をもてなす

紙風船などレトロな小物
も人気

800種以上のマスキングテープや紙小物が充実

⓭如竹堂

全国から取り寄せた個性あふれる紙小物を販売。
倉敷の特産品マスキングテープは800種類以上
あり、新作も続々と登場。同じく特産品のキャン
ドルなど雑貨も幅広く扱っています。

☎086-422-2666 🕙10:00〜17:30 休なし

無料デコレーション体験も実施

色とりどりのマスキングテープが並ぶ店内

1918年に創業

明治時代の意匠を残す、貴重な町家

⓮

明治中期を代表する商家で、今も「はしま
や呉服店」として営業が続けられています。
主屋の造りや漆喰を塗りこめた2階の「虫
籠窓」が特徴で、市指定重要文化財、国登
録有形文化財として残されています。カフ
ェ「夢空間はしまや」もあり。

☎086-451-1040(夢空間はしまや) 🕙11:00〜17:00
(OS16:30) 休火曜日(臨時休業あり)

明治期の建築手法を取り入れた主屋

蔵を改装した
カフェ

ばらずし

「ばらずし」は岡山県の食文化を代表するご当地寿司。酢飯にサワラやママカリ、タコなど瀬戸内の魚介や、シイタケ、錦糸玉子、かんぴょうなどの具材を入れた寿司のことで、祭りやお祝い事の時に振る舞うハレの日の郷土料理として県民に親しまれています。

ばらずしが誕生したのは江戸時代初期。備前岡山藩の三代目藩主・池田光政（みつまさ）は、家来や庶民に質素倹約を奨励し「食事は一汁一菜にする」と命じました。そこで庶民は、具材が目立たないよう酢飯に混ぜて一菜とするばらずしを考案。庶民の知恵から生まれたばらずしは各家庭で受け継がれ、今は県内のいろいろな和食店や寿司店でも味わえます。

「蔵Pura」では、池田藩統治時代に裏返して具材を隠せるよう考案された箱寿司を「返し寿司」として現代風にアレンジして提供しています。

美観地区 本町・東町コース

木箱入りの「返し寿司」。表は錦糸玉子のみ

ひっくり返すと、約20種の豪華な具材が顔をのぞかせる

広いテーブル席のほか個室も用意

GOURMET

地元の旬を美しく盛り付け。
仕掛けも楽しむ贅沢寿司

蔵Pura 和膳 風

庭園の眺めも格別

名物「返し寿司」（2,040円予約優先）のほか、瀬戸内の魚介や黄ニラなど地産食材を贅沢に使った和膳を提供。和庭園が広がる屋敷造りの店内で、目も舌も喜ぶ、特別な美食を堪能できます。

086-435-2211　11:30〜14:30(OS14:00)、17:00〜22:00(OS21:00)　水曜日(不定休あり)

酒津

〈アクセス〉

・倉敷駅前から両備バス倉敷駅北口方面行き川入停留所
　まで約2分

・川入停留所から酒津公園まで徒歩5分

樋門周辺は散策に最適

大正期の価値ある農業用水施設

Ⓐ

人の営みに最も重要な「水」を各地域に届けるため、6つの用水に平等に分流するための施設。治水を目的とした高梁川改修工事に伴って施工され、樋門は鉄筋コンクリート造、15連のアーチ状の門には花崗岩の切石が施されています。2016年には国の重要文化財に指定されています。

086-434-2251(酒津公園管理事務所)　常時開園
無し　無料

配水池の周辺を整備した酒津公園。市民の憩いの場

桜の名所としても有名

暮らしを豊かにする、普段使いの器

Ⓑ 酒津焼窯元

150年以上の歴史を持つ倉敷最古の焼物。茶器や花器、食卓の器を中心に作品を制作しています。手になじむ使いやすさ、渋く艶のある色と分厚いフォルムが特徴です。

📞086-422-1962 🕙10:00〜17:00 📅不定休 🎫体験は有料(内容により異なる)

美観地区 本町・東町コース

工房での陶芸体験を1回3,000円〜で受付。(1週間前迄に要予約)

水辺の景色に、心癒されるひと時を

Ⓒ 水辺のカフェ三宅商店 酒津

酒津公園からほど近い川沿いの古民家カフェ。窓一面に広がる水辺の風景、縁側から望む庭の緑と、安らぎあふれる自然のロケーションが魅力です。

📞086-435-0046 🕙3月〜11月/9:00〜17:30(OS17:00)、12月〜2月/9:00〜17:00(OS16:30) 📅なし

GOURMET

「本日の手作りケーキセット」850円(HOTドリンクの場合)。季節ごとのスイーツが人気

船穂

〈アクセス〉
・JR岡山駅から山陽本線で西阿知駅まで約20分
・西阿知駅から一の口水門まで徒歩45分

構成文化財

高梁川の運河にかかる水門

江戸時代初期に開かれ「高瀬通し」とも呼ばれた運河の北端に位置する水門跡。高梁川下流域の水運に重要な役割を担っていました。市指定の史跡として残されています。

当時の構造が残されている一の口水門

二の水門

水門の仕組み

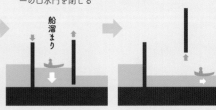

① 二の水門を閉じる

② 船溜まりの水位が上昇し一の口水門を閉じる

③ 二の水門を開いて進む

倉敷産マスカット100%のプレミアムなワイン

Ⓑ ふなおワイナリー

小高い山の上に建つワイナリー。倉敷市産のマスカット・オブ・アレキサンドリアだけで作る贅沢なワインは、芳醇な香りと上品で爽やかな風味が特徴です。試飲や購入も可能で、ジャムやお菓子の販売コーナーもあります。

☎086-552-9789　⏰9:00〜17:00　休年末年始(12/29〜1/3)

人気の甘口ボトル

イベントや収穫祭なども開催される

「マスカットジャム」120g
1,080円もお土産にぴったり

スパークリングやジュースも製造

コラム

一の口水門と水運

　玉島港と西高梁川を結ぶ高瀬通しを開いたのは、備中松山藩主・水谷勝隆でした。長さ10km、川幅9m、中流部の狭いところでも3.6mあります。勝隆は、現在の倉敷市船穂町の堅盤谷に一の口水門と二の水門を設け、その間の350mを船溜まりとしました。二の水門を閉じると船溜まりの水位は上昇します。下流水面から2〜3m高くなったところで二の水門を開くと、船溜まりに集まっていた十数隻の高瀬舟は一気に下流へと運ばれていきます。水の高低差を巧みに利用した閘門式水門が全通したのは寛文4(1664)年と考えられています。

　高瀬舟の下り荷は米穀や銅、鉄、煙草、木炭、薪炭などで、上り荷は塩、海産物、魚肥が中心でした。高瀬通しは備中松山藩領が干拓した土地に水を供給する役目も帯びていましたが、伯備線倉敷・宍粟(現在の豪渓)間

が開業した大正14(1925)年、高梁川下流域の高瀬舟がその役目を終えました。それでも高瀬通しは、酒津貯水池に集められた水がサイホンで高梁川をくぐり、一の口水門に送られるようになったことで、高梁川右岸に水の恵みを届ける水路としての役割を果たすことになりました。

ちょっと足をのばして

水島

〈アクセス〉

・JR倉敷駅から水島臨海鉄道倉敷市駅に移動し、水島駅まで約24分

・水島駅から徒歩約40分

水門築造に係わった人々の
名前が刻まれた石材片も

干拓の歴史を今に伝える史跡

 A

福田新田とは、現在の倉敷市北畝・中畝・南畝・東塚にあたる地域で、1845年から1852年、岡山藩によって干拓されました。福田新田を囲む堤防には、余分な水や汚れた水を排出するための水門が3カ所に築かれ、そのうちの一つが板敷水門です。幅10m、深さ6mに積み上げられた、花崗岩の石垣が目を引きます。築造年を表す「嘉永二年　夏六月造」（1849年）の銘が刻まれています。

086-426-3851（倉敷市教育委員会文化財保護課）

周辺には水島コンビナートの工場風景が

西日本で唯一の臨海鉄道

Ⓑ 水島臨海鉄道

臨海鉄道とは、臨海工業地域で貨物輸送を行うためにつくられた地方鉄道です。倉敷市中心部と水島地域を結ぶ10kmほどの区間ですが、貨物だけでなく旅客輸送も行っています。懐かしい国鉄色の、他では見られない貴重な車両も現役で運行しています。

☎ 086-446-0931（水島臨海鉄道株式会社）
🕐 5:23（上り始発発車時刻）〜23:00（下り終電車発車時刻） なし
💰 初乗り190円、倉敷市駅〜水島駅330円

水島駅

高架下ナイトマルシェ「臨鉄ガーデン」

水島彫刻通り
Mizushimachokoku-dori

水島彫刻通りには著名な彫刻家による作品が並ぶ

コラム

板敷水門と干拓
(いたじきすいもん)

　宇喜多秀家は1584年、早島と箕島の境界にあたる多聞ヶ鼻から、倉敷市二日市の岩崎までの宇喜多堤を築き、倉敷市東部の低地開発を始めました。岡山藩が行った17世紀後半からの干拓は、規模においても技術においても近世を代表する事業でした。1660年代後半には、花崗岩の硬く強いという特性を生かし、柱と梁に巨石を使った井桁構造の水門（樋門）が造られるようになりました。それは背景には瀬戸内沿岸で良質の花崗岩が豊富に採取できたこと、丁場から干拓地までの海上輸送が容易であったからです。

　岡山藩は1845年、福田新田開発に着手し、1852年までに625万㎡を干拓しました。干拓地には余水や悪水を排出する水門三つが造られましたが、そのうちの呼松水門と板敷水門

が現存します。水門は幅約4m1連という小規模なものでしたが、背面に築かれた幅10m、高さ6mの潮留堤防がほぼ完全な形で残されています。高度な切り込み剥ぎの技法で組み上げられた堤防には「嘉永二年夏六月造」と彫られた石が組み込まれており、「深井忠次郎」など奉行や手代の名前の彫られた石材も残されています。

3

児島
さんぽコース

国産ジーンズ発祥の地・児島。その中心部である味野地区には、商店街を活用して新たな観光スポットとなったジーンズストリートがあり、地元ジーンズメーカーの直売店やお土産店などが軒を連ねています。塩田開発の歴史が学べる旧野﨑家住宅もあり、産業の移り変わりを感じられるコースです。

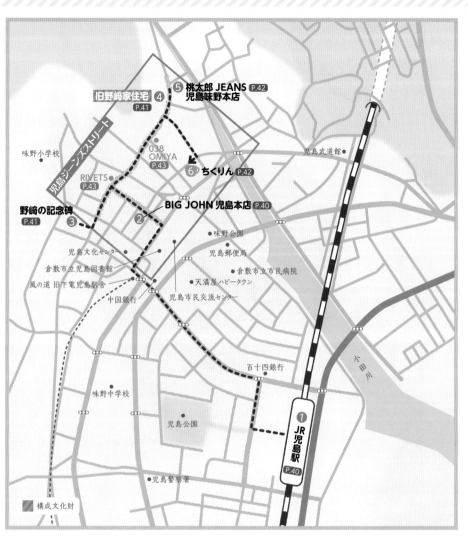

味野小学校

旧野﨑家住宅 ④ P.41

桃太郎JEANS P.42
児島味野本店 ⑤

児島ジーンズストリート

038
OMIYA
P.43

児島武道館

RIVETS
P.43

ちくりん P.42 ⑥

野﨑の記念碑 ③
P.41

BIG JOHN 児島本店 P.40 ②

味野公園

児島文化センター

児島郵便局

倉敷市立児島図書館

倉敷市立市民病院

風の道 旧下電児島駅舎

天満屋ハピータウン

中国銀行

児島市民交流センター

味野中学校

百十四銀行

児島公園

① JR児島駅 P.40

小田川

児島警察署

構成文化財

START　　　　🚶 所要時間予定3時間半〜　　　　GOAL

① JR児島駅 → 約15分

② BIG JOHN 児島本店 → 約5分

③ 野﨑の記念碑 → 約8分

④ 旧野﨑家住宅 → 約1分

⑤ 桃太郎JEANS児島味野本店 → 約5分

⑥ ちくりん → 約15分

⑦ JR児島駅

■ 構成文化財

特集

児島ジーンズストリートへ行こう！

プレミアムなジーンズから、デニム雑貨や生地販売まで。
ここを歩けばジーンズの虜になること間違いなし！？

2018年に新設された、
ジーンズ型トイレと休
憩所。トイレ前のトリッ
クアート風壁画の前で
記念撮影はいかが？

BLUE
RIVETS · BLUE WALL
BLUE TRICK
5_Cs
BLUX
PALLET SHOP
カミカゼアタック
倉敷天領デニム
pure blue japan
T-ASSAC
児島文化センター
BIG JOHN
児島本店
Seven
Sense
Folklo
VALIANT ELEPHANT
commonplace
JEANZOO
児島ジーンズ
Klax-on 児島本店
BLUE
SAKURA
JEANS STREET
KOJIMA
BLUE RECORD(S)
kojima market place
児島市民交流センター

HIGH ROCK
Z-JEANS / möwe
EDGE OF LINE
MuuSAN63
Senio
MADE BY
倉敷児島
CROWN
LABEL
SAIO

旧野﨑家住宅

ジャパンブルージーンズ

桃太郎 JEANS
児島味野本店

SALON DE DENIM

ダニアジャパン

児島ジーンズストリート

林檎堂

038 OMIYA

mb

Denim Closet

野﨑家別邸
迫暇堂

JEANS St.

KOJIMA
JEANS STREET

39

児島さんぽコースにGO！

❶ JR児島駅（西出口）

西出口を出て、ジーンズストリートを目指します。徒歩で約15分。駅構内には観光案内所もあります。なお、金・土・日・祝日は、駅前から「ジーンズバス」が1日6便運行しています（年末年始を除く）。

ジーンズバスについてのお問い合わせは【下津井電鉄(株)児島営業所】☎086-472-2811 🎫1日乗車券大人620円

駅改札の扉にもジーンズが！

ラッピングが印象的なジーンズバス

ジーンズをくぐって
ジーンズストリートへ

ジーンズをイメージした舗装道路が目印

国産ジーンズ第1号の歴史を誇る

❷ BIG JOHN 児島本店

ジーンズストリートに入ったら、BIG JOHNへ。1940年創業、1965年に国産初のジーンズを販売。豊富な種類の商品を販売。体験も充実し、革ラベルやボタン付け、デニム加工、インディゴ染め、レーザー照射による絵柄付けなども。無料ドリンクコーナーもあり、ゆったり過ごせる店づくりになっています。

☎086-473-1231 🕘9:00～17:00 休年末年始
🎫M1シリーズ16,500円～など

店内では熟練の職人の縫製が見学できる

デニム加工歴15年の職人と
色落ち加工体験

お気に入りの写真で
レーザー照射加工

古代エジプト風の建造物がめずらしい

❸ 野﨑の記念碑（野﨑武左衛門翁旌徳碑）

小庭園の中に、「塩田王」と呼ばれた野﨑武左衛門を顕彰して建てられたオベリスク型（方尖塔）の記念碑がそびえたっています。高さは約18ｍで、下津井沖に浮かぶ六口島の花崗岩を使用しています。

☎086-472-2001（野﨑家塩業歴史館）

ジーンズストリートを散策しながら

塩田王・野﨑家の歴史と文化にふれる

❹ 旧野﨑家住宅 🌳 🍃

江戸時代後期、塩田開発で財をなした野﨑武左衛門の邸宅（国指定重要文化財）。3000坪の広大な敷地に、表書院、主屋、茶室、土蔵群など延べ1000坪近い建物が並び、枯山水の庭園が風情をたたえています。塩業に関する史料や民具、文化財を数多く展示。野﨑家の功績によって児島の一大産業となった塩は、その白い色から、綿花、イカナゴとともに「児島三白」と呼ばれています。

☎086-472-2001 🕘9:00〜16:30 🈲月曜日（月曜が祝日の場合は翌日）、年末年始（12/25〜1/1）💴大人500円、小中学生300円

土蔵群

中央のお駕籠石は、野崎浜塩田に似た形の石があしらわれている

テレビドラマ「犬神家の一族〜誰も知らない金田一耕助〜」のロケで使用された座敷

 🌳🍃マークのスポットは日本遺産構成文化財です。

生地から自社製造しているメーカーは、ここ！

❺桃太郎JEANS 児島味野本店

世界で初めて、高級なジンバブエ・コットンを100％使用したデニム生地。世界最特濃色に染め上げたインディゴカラー。もともとデニム生地メーカーだったからこそ実現できるこだわりです。本店限定グッズや限定カラーで、さらに自分だけのオリジナルを追求してみては。

☎086-472-1301 🕐10:00～19:00 休年末年始 図出陣クラシックストレート24,200円～など

オーダーペイント（2,200円～）

本店限定トートバッグ
（5,280円）

気軽に味わえる本格派洋食

❻ちくりん

レトロな佇まいの老舗・洋食屋。なんと、ソースやドレッシング、マヨネーズまで、すべて手作りにこだわっているそうです。なるほど、香りとコクが、ひと味もふた味も違う！おまけにボリュームも満点です。

☎086-472-2187 🕐11:00～14:30／17:00～20:30 休火曜日

サービスランチ700円

オムライス650円

インディゴ
ソフト

特集

おすすめデニムグッズ

ジーンズストリートでは、デニムグッズも人気です。
デニムへの愛と工夫が散りばめられたグッズを紹介します。

藍パウダー使用！
児島ならではの「インディゴソフト」

RIVETS

デニムの染料に使われる藍。この藍、実は抗
酸化作用に優れた健康食品でもあるんです。
国産藍パウダーを贅沢にトッピングした「イ
ンディゴソフト」。「児島三白」にちなんだ塩
バニラ味が爽やかです。

☎086-441-9100　🕐11:00～15:00（夏季は延長あり）
🈺毎週火・水曜、木曜不定休、年末年始　💰インディゴソフ
ト400円、たこコロッケ200円など

児島 さんぽコース

丸五たびりらキッズ
（3,850円～）

キーホルダー

ジーンズストリートならではの
デニム雑貨が勢揃い！

038 OMIYA

瀬戸内のかわいいもの、おいしいものが揃っ
たおみやげ屋。デニムのコインケースやキー
ホルダー、ランチョンマット、ネクタイ、蝶
ネクタイなど、デニム小物に釘づけ間違いな
し。その他、真田紐や畳縁、市内の老舗地下
足袋メーカー・丸五の「たびりら」なども揃
っています。

☎086-441-4038　🕐10:00～18:00（平日は11:00～
17:00）　🈺不定休

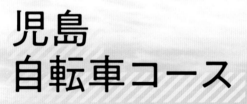

4

学生服や畳縁、地酒を訪ねる

児島
自転車コース

児島駅から自転車で、下の町エリアや唐琴エリアまで足をのばしましょう。学生服資料館やジーンズミュージアムなど、児島の繊維産業を楽しくディープに学べるスポットや、酒蔵もご紹介します。自転車に乗りながら、地域ごとに異なるまちの雰囲気を味わい、児島の魅力を余すところなく楽しむコースです。

児島学生服資料館 P.47
JEANS MUSEUM & VILLAGE P.48
●琴浦中学校
ひろよし P.55
中山公園
③ 森の8カテン P.46
どんぱち P.55
④
⑤
⑥
●児島中学校
鷲羽山スカイライン
児島展望台
旧野崎家住宅
⑦
天満屋ハピータウン
田中屋 P.54
TCB jeans P.50
中国銀行
三冠酒造 P.50
うどん司 たかと P.54
つるつる P.55
児島公園
②①
P.55 梅荘
児島駅観光案内所 P.46
JR 児島駅 P.46

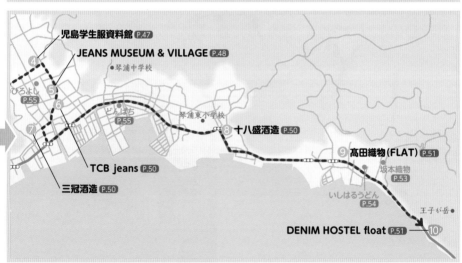

児島学生服資料館 P.47
JEANS MUSEUM & VILLAGE P.48
④
●琴浦中学校
ひろよし P.55
⑤
⑥
どんぱち P.55
琴浦東小学校
⑦
⑧ 十八盛酒造 P.50
TCB jeans P.50
⑨ 髙田織物（FLAT） P.51
三冠酒造 P.50
坂本織物 P.53
いしはるうどん P.54
王子が岳●
DENIM HOSTEL float P.51 ⑩

児島・自転車コース

児島自転車コースにGO！

❶ JR児島駅

瀬戸大橋線・児島駅で下車したら、駅構内の
観光案内所へ。自転車を借りて、児島自転車
コースの始まりです。

途中、坂道もあるので、電動アシスト付き自転車がおすすめ！

駅前の「学生服トイレ」。男性用トイレの壁面には詰め襟学生服、女性用はセーラー服が

エキナカの観光案内所

❷ 児島駅観光案内所
（レンタサイクル）

JR児島駅の改札を出て右手にある観光案
内所で、レンタサイクルの手続きを。

☎086-472-1289　🕐9:00〜16:30（12:00〜13:00は
貸出不可）　💴300円（1日1回）、電動アシスト付き
は500円（1日1回）　休年末年始

レンタサイクルは倉敷市児島産業振興
センター（P.61）でも借りられます

森の中の小さなお店

❸ 森の8カテン

もとは縫製工場だった2階部分を改装して、
2017年にオープンしたお店です。百貨店ではな
く、8カテン。服やはちみつなど、暮らしにま
つわる「ちょっといいもの」をコンパクトに集
めた雑貨屋さん（rolca）と、イタリアンレスト
ラン（BUONO UNO）が併設されています。

☎086-472-2257（rolca）／086-472-8039（BUONO UNO）
🕐11:00〜16:00（rolca）／11:30〜15:00LO（BUONO UNO）
休火曜日　💴児島の瀬戸内百花蜜1,980円（rolca）、本日のパ
スタランチ1,490円（BUONO UNO）など

庭で集めた自家
採取のはちみつ

はちみつ

児島の瀬戸内百花蜜

児島で染め上げた
リネンのエプロン
が人気

イタリアンレストランBUONO UNO

学生服の歩みを学んで、試着もできる

❹児島学生服資料館

学生服メーカー・日本被服の敷地内にある資料館。1階では、児島の各学生服メーカーのホーロー看板やポスターなど約200点を展示しています。戦前の学生服や、昭和30年頃まで使われていた学生服用の紙袋なども。2階では、豊富な種類の学生服を自由に試着できます。隣接している児島特銘館では、地元の特産品や学生服のアウトレットの販売も。

📞086-436-7707(平日のみ)　🕐10:00〜17:00　📅年末年始
💴無料

2F試着コーナー

コラム

繊維製品

　稲作には適さなかった児島地区では、江戸時代中期から綿花の栽培が行われるようになります。そこから児島地区の繊維産業は、多方面に発展していきます。

　古くは真田紐(P.53参照)が由加山参拝みやげとして人気に。明治時代になると、産業革命を経て紡績会社が次々に設立され、動力ミシンの導入により、足袋製造がさかんになります。

　大正から昭和にかけて、足袋生産は減少しますが、厚手の生地の取り扱いを得意とした児島の繊維産業は、学生服、そしてジーンズ生産へとシフトしていきます。学生服は、1963年に児島の生産量が1006万着となり、史上最高を記録。現在も、全国の70%近くの学生服を岡山県内のメーカーが生産しています。また、1965年には初の国産ジーンズが誕生し、児島は「国産ジーンズ発祥の地」としてその名を知られるようになりました。その

真田紐　　　　　　　畳縁

帆布　　　　　　　　和足袋

他、帆布(P.67)や畳縁(P.51)など、さまざまな繊維製品が生産されています。糸から生地をつくる「製織」、生地を染める「染色」、生地を縫って衣服をつくる「縫製」まで、各工程を担う会社がひとつの地域に集まっていることが、大きな強み。

　倉敷市は現在、繊維工業における製造品出荷額トップを誇る、日本一の繊維のまちとなっています。

 マークのスポットは日本遺産構成文化財です。

❺ JEANS MUSEUM & VILLAGE

レディースジーンズのトップメーカー Betty Smith
が運営する、日本で唯一のジーンズミュージアムで
す。ジーンズの歴史を残したい、子どもたちに知っ
てほしいとの思いから、2003年に現在の1号館を開
設。その後、約10年かけて次々と施設をオープンし
ていきました。ジーンズの歴史や時代背景を展示し
た1号館。国産ジーンズの歩みに特化した2号館。
さらに国内最古のジーンズ縫製工場や、体験工場、
Betty Smith ショールームショップやアウトレット
ショップなどが並ぶ、まさにヴィレッジと呼ぶにふ
さわしいスポットです。

☎086-473-4460 🕘9:00〜18:00 🈺年末年始 💴無料

ジーンズミュージアム1号館2階オーダーサロン
採寸から専属スタッフが行い、フルオーダーが可能

ジーンズミュージアム1号館

1962年設立の縫製工場

ジーンズミュージアム1号館内部。
リーバイス社提供の〈501XX〉の原
型モデルなど貴重な資料を展示

洗い工場を改装した
2号館

体験工場の前で育てている綿花。
毎年秋にはたくさんの綿が開花する

新商品から定番
商品までが揃う
Betty's Store

刺繍やワッペンなどのカスタマイズも可能

規格外のお値打ち品も販売する
ファクトリーアウトレット

マスコットキャラクターの
「ベティちゃん」がお出迎え

体験工場

オリジナルジーンズ作り体験
既成のジーンズに好みのボタン、リ
ベットなどを選んでつける

49

ジーンズの伝統をこよなくリスペクト

❻ TCB jeans

防縮加工などが施されていない「生デニム」を扱っています。丈夫で着るほどに肌になじむ「育てるデニム」。タグには年代表記がされ、古き良き時代のジーンズを、年代ごとに細部まで忠実に再現しています。

☎080-3873-8476　⏰10:00〜18:00　休年末年始
💰CATBOY JEANS 23,100円など

1階はオープンファクトリー

2階のショップ

サイズ展開も豊富で、体格の大きな外国の方にも好評！

タグには「20's」など年代表記が

酒造工程などのパネル展示も
日本語・英語・中国語、有り

仕込み水から作る氷と酒粕・酒糀
を使ったかき氷

児島駅から一番近い酒蔵

❼ 三冠酒造

1806年創業の酒蔵。瀬戸内の魚に合うようにと、濃厚で辛口の酒造りに取り組んでいます。海沿いの土地ながら、花崗岩の地質で磨き抜かれた仕込み水は清冽ですっきり。甘酒セットや夏季限定の酒粕かき氷も人気です。

☎086-472-3010　⏰10:30〜16:30(6〜9月は18:00まで)
休毎週火曜日(6〜9月は無休)、年末年始

娘十八　番茶も出花

❽ 十八盛酒造

由加山の参道口にある酒蔵で、創業は1785年にさかのぼります。地元にこだわり、岡山県産米を100％使用。フレッシュで、ほんのり酸味を残した味わいは、海外からも人気です。限定特約店にしか卸さない希少銘柄「多賀治」も絶品です。

☎086-477-7125　⏰9:00〜12:00、13:00〜16:00　休土日祝日、年末年始(詳細はHPに)

※酒蔵では試飲もできますが、飲酒しての自転車運転は違法ですので絶対にしないでください。

使い方無限大の畳縁
➒ 髙田織物（FLAT）

畳のふちに使われる畳縁（たたみべり）。明治時代に創業した髙田織物では、長らく畳縁の生産を続けてきました。現在、その数はなんと約1000種類。最近では、ハンドメイドの材料としても注目されています。ファクトリーショップFLATは、畳縁やグッズの販売だけでなく、無料レシピや作品の展示、くるみボタンづくり体験など、畳縁をたっぷり楽しめるお店です。

☎086-477-6777　🕐10:00〜15:00　📅日曜日、祝日（土曜日は不定休）　💰畳縁端切れ165円など

くるみボタンづくりを体験！

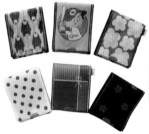

コインケース

デニムに囲まれたカフェ＆ホステル
➓ DENIM HOSTEL float

2019年秋にオープンしたばかりの、宿泊施設併設のカフェ。名物はスパイスカレーです。水を使わず、野菜から出る水分とココナッツミルクだけでじっくり煮込んだ、無水チキンカレーが人気。デニムをコンセプトにしたお店で、随所にデニムが使われ、カウンターやベンチもインディゴで染めています。間近に見る瀬戸内海は絶景で、宿泊もおすすめ！

☎050-8880-3135　🕐11:30〜22:30　📅火曜日　💰無水チキンカレー800円など

名物の無水チキンカレー

デニム販売

宿泊部屋

ちょっと足をのばして

由加山

〈アクセス〉
・JR児島駅から下電バス由加山行きで約35分
　（※1日2便、土日祝は運休）
・JR児島駅からタクシーで約15分

備前藩主も信仰した、厄除けの総本山

A 由加山 蓮台寺

瑜伽大権現を祀る由加山は、厄除けの霊山として知られています。大般若を転読する蓮台寺の祈祷は、迫力満点。年間約40万人もの人が訪れるといいます。備前藩主・池田侯の祈願寺でもあり、宿泊等に使われた客殿の建築や庭園、障屏画なども堪能できます。

086-477-6222　9:00〜16:00(祈祷受付)　なし
なし(祈祷料などは別途)

祈祷

客殿(御成の間)

厄祓い

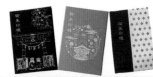

由加神社の
御朱印帳

有求必應（神額）「求めが有れば必ず応じて下さる神さま」

B 由加山 由加神社本宮

全国に五十二の分社を有する由加神社の本宮。厄除け祈祷の神社(厄除けの総本山)として、また四国こんぴらさんとの両参りで知られており、年間を通してたくさんの方が訪れます。境内には珍しい日本一の備前焼大鳥居や、倉敷・児島特産のデニム・帆布・畳縁の生地でつくられた御朱印帳なども人気です。

086-477-3001　9:00〜16:00(祈祷受付)　なし
なし(祈祷料などは別途)

（地図内）
県道玉野福田線
由加山 蓮台寺　P.52
A
由加山 由加神社本宮　B　P.52
児島由加簡易郵便局
由加山 太助茶屋
倉敷市 少年自然の家
倉敷由加温泉 ホテル山桃花　C　P.53
琴浦北小学校
構成文化財

🌸マークのスポットは日本遺産構成文化財です。

霊験あらたかな天然温泉と旬のランチでひとやすみ

ⓒ 倉敷由加温泉ホテル 山桃花

由加参りの後は、静かな温泉で一息。かつて参詣人の病状が平癒したことがきっかけで、温泉が湧くことがわかったというのが、この温泉の由来です。旬の食を提供するため、毎月メニューが変わるというこだわりのランチも、楽しみのひとつです。

☎086-477-5588　⏰11:00〜15:00（日帰り入浴）／11:00〜14:00（ランチ）　休なし　¥3,300円（日帰り入浴＆ランチ）

旬の食材が満載の「彩り膳」
（写真）のほか、ステーキ御膳や魚御膳も人気

コラム

真田紐（さなだひも）

　児島地区が繊維産業で繁栄するきっかけのひとつは、江戸時代にこの地で生産された真田紐だと言われています。"ゆが・こんぴら両参り"でにぎわった往時、由加の参道では真田紐が売られ、旅の土産として人気を得たそうです。

　真田紐とは、縦糸と横糸で織られた細幅織物で、世界で最も細い織物と言われることもあります。関ヶ原の合戦後、真田昌幸と幸村が九度山で幽閉されているときにこの紐を織ったことから、「真田が作った強い紐」という売り文句で広まりました。組紐と比べて丈夫で伸びにくいため、刀の下げ緒や、甲冑の締め紐などに使われてきました。また、茶道具の桐箱を結ぶ紐や、着物の帯締めとしても使われています。

　現在では、真田紐を生産するメーカーは全国でも貴重な存在となっています。児島・唐琴地区で使われてきた古い力織機（りきしょっき）を受け継いだ坂本織物で、真田紐のぬくもりに触れてみませんか。

力織機

さまざまな製品

坂本織物

☎086-477-6340　⏰9:00〜17:00　休土日祝、年末年始、お盆、イベント出店日　¥真田紐端切れ100円〜

特集

児島うどん

かつて四国からの集団就職も多かった児島。讃岐からうどん文化もやってきました。
本格派、正統派、個性派。児島ならではのうどん店の一部を紹介します。

MAP→P.45参照

揚げたての天ぷらで「ジューッ！」
いしはるうどん

なんと言っても名物は天ぷらうどん。必ず注文
を受けてから揚げています。このエビ天を汁に
つけた時の、ジューッ！という音を楽しんでか
ら食べるのがお約束。プリッと歯ごたえのある
高級鳴門産ワカメも名脇役です。

☎086-477-6887　🕐11:00〜18:00　休毎週月曜日、第3日
曜日　💴肉天うどん800円など

讃岐も顔負けのコシとツヤ
うどんの司　たかと

コシの強いうどんが好きなら、ぜひここへ。看板メ
ニューは、シンプルなしょうゆうどん。しっかり締
まった艶やかなうどんに、たっぷりの薬味と、すだ
ちの酸味が爽やかな逸品です。黄身を贅沢に2つ使
った、玉子とじうどんも根強い人気。

☎086-474-5847　🕐平日11:00〜14:00／土日祝日11:00〜14:30、
16:30〜19:00　休木曜日　💴しょうゆうどん650円など

舌で味わい、目で楽しむ
田中屋

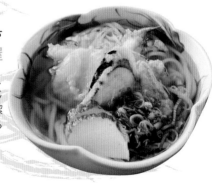

「讃岐は目指してない」と店主が語る田中屋の麺は、
やや細めで、やわらかさの奥にほのかなコシを感じ
させます。器はすべて、高級な有田焼を使用。清潔
で落ち着いた店内に、接待客や家族連れが多いのも
頷けます。

☎086-473-7690　🕐11:00〜14:30、17:30〜20:00　休金曜日
💴天ぷらうどん（上）1,045円など

肉派、がっつり派も唸らせる

つるつる

店名の通り、つるんとしたもち肌のうどんと、しっかり濃いめの出汁の相性は抜群。そして何より、本店がお肉屋さんなので、お肉が美味です！ セットメニューも豊富で、毎日通っても飽きることはありません。

☎086-473-3386 🕙10:00〜19:30 🈺火曜日 🍜肉肉うどん550円など

こだわりの水で仕込んだ手打ちうどん

どんぱち

名物「玉バターうどん」は、コシが強めの麺に、バターと粗挽きコショウが効いた、カルボナーラ風。きつね・ざるのうどん2種と炊き込みご飯がついた、どんぱち定食も人気。水へのこだわりが美味しさの秘訣です。

☎086-472-0207 🕙11:00〜14:30、17:00〜20:30 🈺月曜日（月曜が祝日の場合は火曜日） 🍜玉バターうどん700円など

味噌煮込みうどんでほっかほか

ひろよし

味噌煮込みうどんが売りですが、名古屋の二番煎じではありません。かつて店主の勤め先で出ていた、まかない食にヒントを得たそうです。味噌のコクと甘みに、柚子でほんのり酸味を出した、ここでしか味わえない絶品。

☎086-473-6075 🕙11:00〜14:00、17:00〜20:00 🈺火曜日 🍜スペシャル味噌煮込みうどん900円など

古民家で厳選素材のうどんに舌鼓

梅荘

もとは野﨑家（P.41 参照）の別荘で、築120年を超える古民家。麺は国産小麦100%、つゆには砂糖を一切使用せず、しょうゆと日本酒、みりん、赤・白ワインを煮詰め、すっきりした甘みに。贅沢なひとときを楽しめます。

☎086-473-0900 🕙11:00〜14:00（麺がなくなり次第終了） 🈺月曜日 🍜えび餅ぶっかけうどん1,280円など

自転車について

日本遺産めぐりにぴったりの自転車ですが、快適な自転車散策を楽しむためには、事前のチェックが大切です。自転車に乗る前には、ライトや反射板、ブレーキなどの設備に不具合がないか確認し、ルールを守って安全な運転を心がけましょう。

ブレーキ

前後のブレーキがきちんときいているか、ワイヤーのゆるみなどがないかチェックしましょう。

タイヤ

タイヤに十分空気が入っているか、すり減っていないか、また荷物のひもやマフラーなどが絡まらないかも注意しましょう。

ライト・反射板

ライトがきちんとつくか、反射板が汚れていないか、位置や角度などが問題がないか確認を。

自転車に乗るときは「自転車安全利用5則」を守りましょう！

自転車は、道路交通法上の「（軽）車両」に分類される車の仲間です。自転車に乗るときは、乗り物を運転している自覚をもってルールやマナーを守り、すべての人が安全で快適に道路を利用できるように配慮しましょう。

気をつけたいポイント

●指定の駐輪場など、決められた場所に駐輪しましょう。
●盗難防止のため必ず鍵をかけましょう。
●荷物や服が車輪に巻き込まれないよう注意しましょう。
●大音量でヘッドホンなどを使用して運転する行為は禁止されています。

岡山県自転車安全利用5則

①**自転車は、車道が原則、歩道は例外**
【歩道を通行できるのは】
●歩道通行可の標識などがあるとき
●13歳未満の子どもや70歳以上の高齢者が運転するとき
●車道通行が危険なとき
②**車道は左側を通行**
③**歩道は歩行者優先で、車道寄りを徐行**
④**安全ルールを守る**
●飲酒運転・二人乗り・並進の禁止
●夜間はライトを点灯
●交差点での信号遵守と一時停止・安全確認
●運転中の携帯電話・傘さし運転の禁止
⑤**子どもはヘルメットを着用**

レンタサイクル情報 ••••••••••••••••••••

❶倉敷市観光休憩所

☎086-425-6039　🕐9:00〜16:30　💴300円(1日1回)

❷児島駅観光案内所

☎086-472-1289　🕐9:00〜16:30(12:00〜13:00受付不可)　💴300円(1日1回)　※電動は500円

❸新倉敷駅観光案内所

☎086-526-8446　🕐9:00〜16:30(12:00〜13:00受付不可)　💴300円(1日1回、電動は500円)、500円(2日、普通自転車のみ可)

❹茶屋町駅
　（おみやげ街道茶屋町店）

☎086-428-5883　🕐9:00〜17:30　💴300円(1日1回)、500円(2日)

❺倉敷市児島産業振興センター

☎086-441-5123　🕐9:00〜17:00　🈲火曜　💴500円(電動、1日1回)

❻駅レンタカー倉敷駅営業所

☎086-422-0632　🕐8:00〜20:00(受付は19:00まで、12:00〜13:00受付不可)　💴4時間まで350円、4時間を超え1日は500円

港町と瀬戸内海のパノラマ

下津井
風の道コース

北前船の寄港地として栄えた港町・下津井へのサイクリングコースです。情緒あふれる漁港、鷲羽山からのパノラマなど、絶景スポットがいっぱい。旧下津井電鉄の線路跡を整備した「風の道」は、自転車・歩行者専用道路となっており、サイクリングに最適です。

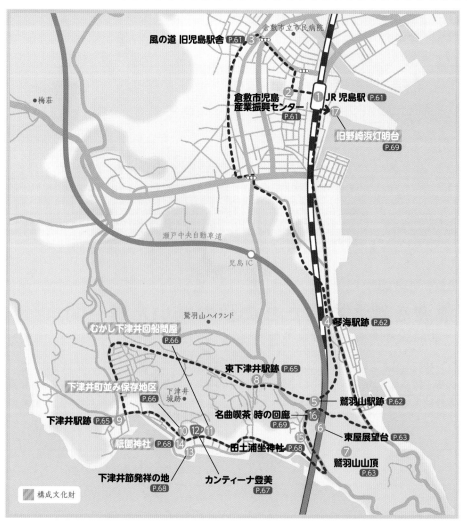

風の道 旧児島駅舎 P.61 3
倉敷市立市民病院
倉敷市児島
産業振興センター P.61 2
1 JR 児島駅 P.61
17
旧野崎浜灯明台 P.69
梅荘
瀬戸中央自動車道
児島 IC
鷲羽山ハイランド
むかし下津井回船問屋 P.66
東下津井駅跡 P.65
4 琴海駅跡 P.62
下津井城跡
下津井町並み保存地区 P.66
鷲羽山駅跡 P.62 5
下津井駅跡 P.65 9
名曲喫茶 時の回廊 P.69 16
6 東屋展望台 P.63
15
祇園神社 P.68 10 12 11 14
田土浦坐神社 P.68
7 鷲羽山山頂 P.63
下津井節発祥の地 P.68 13
カンティーナ登美 P.67

構成文化財

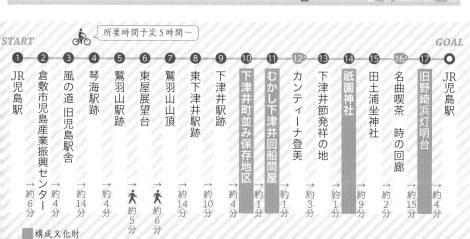

START　🚲　所要時間予定5時間〜　　　　　　　　　　　　　GOAL

① JR児島駅
→約6分
② 倉敷市児島産業振興センター
→約4分
③ 風の道 旧児島駅舎
→約14分
④ 琴海駅跡
→約4分
⑤ 鷲羽山駅跡
🚶約5分
⑥ 東屋展望台
🚶約6分
⑦ 鷲羽山山頂
→約14分
⑧ 東下津井駅跡
→約10分
⑨ 下津井駅跡
→約4分
⑩ 下津井町並み保存地区
→約1分
⑪ むかし下津井回船問屋
→約1分
⑫ カンティーナ登美
→約3分
⑬ 下津井節発祥の地
→約1分
⑭ 祇園神社
→約9分
⑮ 田土浦坐神社
→約2分
⑯ 名曲喫茶 時の回廊
→約15分
⑰ 旧野崎浜灯明台
→約4分
○ JR児島駅

構成文化財

荒波を越えた男たちの夢が紡いだ異空間
～北前船寄港地・船主集落～

江戸時代中期から明治時代初めにかけて、日本海と瀬戸内海を通り、西廻り航路で北海道と大坂を結んだのが北前船でした。寄港地ではその地域の特産品を積み込み、運んできた物資を商いました。下津井と玉島には荒波を越えてもたらされた繁栄と夢の跡が息づいています。

　寄港地で商品を安く仕入れ、別の寄港地で高く売る。その土地その土地の産業とニーズを把握していた北前船は、動く総合商社として活躍し、大坂への上り荷は北海道特産のニシンや鮭、昆布、下り荷は米や塩、木綿、酒などでした。

　下津井港は寛永年間（1624～1644年）、岡山藩の外港として整備され、東西航路の潮待ちの港、児島と四国を結ぶ南北航路の要衝として栄えました。北前船により干鰯（ほしか）やニシン粕、塩などを取り引きした港は、26の問屋が軒を連ね、寛政年間（1789～1801年）には舟100艘（そう）、263戸が家並みをなす商業都会となり、最盛期には50～60艘の北前船が来航したといわれています。港町を見下ろす祇園神社では、鳥居や玉垣（たまがき）に彫られた越後、橋立、筑前、薩摩、伊豫（いよ）、大坂など広範囲だった下津井の交易地を、「むかし下津井回船問屋」では、廻船問屋（かいせんどんや）として賑わった荻野家の母屋（おもや）とニシン蔵の様子を知ることができます。

　備中松山藩主・水谷勝隆（みずのやかつたか）の時代に埋め立てと築港事業が始まったのが玉島港です。1671年、乙島から羽黒神社のある阿弥陀山（あみだやま）と柏島（かしわじま）を結ぶ堤防を完成させ、阿弥陀山・柏島間391m、幅53mに問屋を誘致し、港町を造りました。そこで北前船に積み込まれた商品の8割は備中一円で栽培された綿で、備中松山藩が生産した鉄や銅なども重要な移出品でした。一方、移入品のほとんどを占めたのが綿栽培の肥料となる干鰯やニシン粕でした。港町に残る蔵の柱や梁には、大量に貯蔵されたニシン粕目当てに集まった虫の食った跡があります。

下津井風の道コースにGO！

❶ JR児島駅（西出口）

下津井方面へも、児島駅がスタートです。改札を出たら左手、西出口へ。

ジーンズが風に揺れる駅前のアーケード

倉敷市児島産業振興センター

ジーンズ柄の自転車で出発

❷ 倉敷市児島産業振興センター
（レンタサイクル）

産業振興センターで、自転車を借りましょう。すべてジーンズ柄の電動アシスト付き自転車です。センターのホームページから、翌日〜6カ月先まで予約できます（当日分は電話で）。

☎086-441-5123　🕘9:00〜17:00　休火曜日（火曜日が祝日の場合は翌日）、年末年始　電動アシスト付き自転車500円（1日）

> レンタサイクルはJR児島駅構内の観光案内所（P.46）でも借りられます

オリジナルのジーンズ柄自転車

レトロな駅舎が残る

❸ 風の道 旧下電児島駅舎

鷲羽山のふもとをぐるりと通る「風の道」。ここはかつて、「下電」の愛称で親しまれた下津井電鉄が走っていました。1990年に廃線になってからは、自転車・歩行者専用道路に。現在も駅舎が残されているのは、ここだけです。

駅名板も当時のまま残っている

駅跡から見下ろす海にほっこり

❹琴海駅跡

備前赤崎駅跡、阿津駅跡を通って琴海駅跡へ。海が見え、気持ちの良いサイクリングが続きます。

鷲羽山の入り口に到着

❺鷲羽山駅跡

かつて鷲羽山登山のために開設された駅で、公衆トイレと展望台があります。ここで自転車をとめ、鷲羽山自然研究路を歩きます。

自転車を置いて徒歩で山頂を目指そう

絶景に期待しながら
徒歩で山道を登ろう！

真上から眺める瀬戸大橋は迫力満点

❻東屋展望台

日本で最初の国立公園となった瀬戸内海国立公園。その代表的な景勝地・鷲羽山の西側に位置する東屋です。ここは、瀬戸大橋を真上から、またもっとも近くから眺望できる穴場として知られています。

夜のライトアップが美しい

文豪徳富蘇峰が「瀬戸内海の美景をすべてここに集める」という意味で命名した「鍾秀峰」の石碑

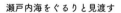

東屋

道中に点在する古墳群

樹齢約200年の一本松。かつてハゲ山に近かった鷲羽山で、この一本松だけが目立ち、地元のシンボルだった

瀬戸内海をぐるりと見渡す

❼鷲羽山山頂

山道を通り、石段をのぼり山頂へ。標高133mの山頂からは、青い海と大小50余りの島々、行き交う船、そして瀬戸大橋の姿と町並みが360度、一望できます。

鷲羽山駅跡まで山道を引き返し、また自転車で次の駅跡を目指そう！

下津井 風の道コース

63

ちょっと足をのばして

鷲羽山

> 鷲羽山山頂まで来たら、あと10分ほど歩けばビジターセンターやレストハウスにも行けるよ！

〈アクセス〉
・JR岡山駅から瀬戸大橋線で児島駅まで約30分
・JR児島駅から下電バス（下津井循環線とこはい号）で鷲羽山第二展望台まで約29分

鷲羽山駅跡
名曲喫茶 時の回廊
東屋展望台
田土浦坐神社
鷲羽山山頂
鷲羽山ビジターセンター P.64
A
C 大龍大神
B 鷲羽山レストハウス P.64
D
下津井節歌碑 P.64
鷲羽山下電ホテル
鷲羽山第二展望台 P.64
鷲羽山不動明王

鷲羽山をくわしく知るために

Ⓐ 鷲羽山ビジターセンター

鷲羽山の自然や歴史、瀬戸大橋架橋の歴史などが展示されています。鷲羽山への理解を深め、より楽しく散策するための施設です。

☎086-479-8660　🕐9:00〜17:00（4月〜9月）、9:00〜16:30（10月〜3月）　休年末年始（12月29日〜1月3日）　料無料

下津井節の歌詞を刻む

Ⓑ 下津井節歌碑

「下津井みなとはヨ　入り良て出よてヨ」という、下津井節の出だしの一節が刻まれています。

おみやげ、食事、休憩スポット

Ⓒ 鷲羽山レストハウス

売店やレストランだけでなく、休憩室や授乳室なども揃った施設です。レストランでは、下津井名物の「たこ飯」が人気です。

☎086-479-9164　🕐9:00〜17:30（レストランは平日11:00〜14:00LO、土日祝日11:00〜15:00LO）　休なし

鷲羽たこ飯定食（1,430円）

鷲羽山一の人気展望台

Ⓓ 鷲羽山第二展望台

バス停や駐車場から近いため、鷲羽山では訪れる人がもっとも多いのが、この第二展望台です。ベンチや望遠鏡があり、瀬戸内海を眺めながら、ゆったりした時間を過ごせます。

鷲羽山駅跡から
ふたたび自転車に

鷲羽山駅から500mほどで隣駅

❽ 東下津井駅跡

ふたたび「風の道」で、下津井をめざします。

廃線車両が残る終着駅

❾ 下津井駅跡

下津井電鉄の終着駅だった下津井駅。現在は、地元住民による「下津井みなと電車保存会」と下津井電鉄の協力により、車両が保存されています。

☎086-472-1289（児島駅観光案内所）

軌間が762mmと狭く（ナローゲージ）、全国的にも貴重な車両

コラム

下津井城跡

　児島半島は、かつてはその名が示す通り、児島という島でした。児島の北側、本土との間に広がる浅海は、「吉備の穴海（あなうみ）」と呼ばれ、瀬戸内海航路の主要ルートでした。この海には、高梁川、旭川、吉井川といった大きな河川が本土から流れ込んでいたことから、中世末期から近世にかけて大量の土砂が堆積し、次第に児島北側にかわり、南側の海域が主要航路になっていきました。こうした背景から下津井は、瀬戸内における軍事や海運の要衝の地となりました。

　16世紀には、宇喜多秀家により、この下津井の地に城砦が築かれていたとされています。1603年には池田忠継の入国とともに、老臣・池田長政による大規模な整備がなされ、1606年に本格的な近世城郭としての形態が完成します。下津井港の背後にある標高89mの小高

い山に築かれ、瀬戸内海を一望する下津井城は、その後、池田由之、池田由成という歴代城主を経ますが、完成からわずか30余年後の1639年、一国一城の令により、廃城となりました。

　現在、かつての姿が残っているのは石垣のみですが、下津井城跡一帯は近年、瀬戸大橋架橋記念公園として整備され、訪れる人たちにその歴史を伝えています。

下津井 風の道コース

北前船でにぎわった歴史を残す港町

❿下津井町並み保存地区 🌳🌙

おもに江戸時代中期以降、北前船が寄港し、宿場町や商人の町として大いに賑わった下津井。今でも当時の商家やニシン蔵などが残されています。本瓦葺の漆喰壁やなまこ壁、虫籠窓や格子戸などを備えた建物が並び、歴史的景観を今に伝えています。

共同井戸群。かつて複数の家で使用されていた共同井戸が点在している

まだかな橋欄干の親柱。北前船の船頭たちに「まだ（あがらん）かな」と声をかける遊女の姿から「まだかな橋」と呼ばれた橋があった

下津井の歴史を学べる資料館

⓫むかし下津井回船問屋 🌳🌙

かつて、北前船との商取引で財を成した回船問屋を修復して利用した資料館です。下津井の歴史や文化、北前船に関する展示が多数あり、当時の商家の風情を味わいながら学べる施設になっています。

📞086-479-7890 🕘9:00～17:00（入館は16:30まで）🗓火曜日（火曜日が祝日の場合は開館、翌日休館）、年末年始（12月29日～1月3日）💴無料

北前船の模型

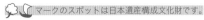
🌳🌙マークのスポットは日本遺産構成文化財です。

ニシン蔵の梁と柱が目をひく食事処

⑫ カンティーナ登美

GOURMET

むかし下津井回船問屋の敷地内にあるレストラン。かつてのニシン蔵を改装した「蔵ほーる」で、地元食材を生かした和食とイタリアンが楽しめます。蔵定食（写真）のほか、仕入れがあった日にのみ提供される穴子丼もファンが多いとか。

☎086-479-9456　⏰平日は11:30〜14:00、17:30〜21:00LO／土日祝日は11:30〜14:00、18:00〜21:00LO　🏠火曜日、第1水曜日（第3月曜日はランチのみ）　💰蔵定食1,760円など

蔵定食（1,760円）

コラム

帆布

帆布とは、複数本の綿糸を撚り合わせて平織りにした、厚くて丈夫な織物のことです（1平方mあたり8オンス〔＝約227グラム〕以上）。

江戸時代後期、兵庫県高砂市の工楽松右衛門が発明したもので、北前船などの帆船に使用され、急速に広まります。この帆布の登場により、当時の航海技術が一変したと言われています。近代になると、産業革命によって、紡績業がさかんになります。

「倉敷帆布」の歴史は、1888年にさかのぼります。児島の郷内地区で、武鑓石五郎・梅夫妻が織物工場を創業し、その後、長男が帆布製造を開始。帆布はおもに、トラックの幌や学生カバン、テント、体育マットや跳び箱の張り布など、工業・商業用資材として使われてきましたが、時代の変遷とともに帆布の役目も変化し、現在では、アパレル素材としても注目されています。

「倉敷帆布」は、昭和40年代に廃盤になっ

たシャトル織機を、今でも職人が大事に手入れしながら使い続けることで、生地の端（＝耳、セルヴィッジ）まで美しく均一に織り上げた、高品質の一級帆布です。職人の技術と天然繊維がもたらす、丈夫であたたかみのある風合いは、現在も受け継がれ、国産帆布の約7割がここで生産されています。

バイストン本店

倉敷市曽原414-2　☎086-485-2112　⏰10:00〜17:00　🏠年末年始　💰基帆トートバッグ（小ヨコ）4,400円、8号帆布生地1m 1,650円など

下津井 風の道コース

海沿いにたたずむモニュメント

❸下津井節発祥の地

下津井漁港の西端に、「下津井節発祥の地」と記されたモニュメントがあります。

周辺では釣りを楽しむ人も多く、日差しと潮風が気持ちの良いスポットです。

「下津井の祇園さま」として親しまれる

❹祇園神社

海抜22ｍの小高い丘から、下津井港を見下ろすように位置している神社です。玉垣には、海の守護神に航路安全を祈願して寄進した、北前船の船主たちの名が刻まれています。

☎086-479-9468

延喜式神名帳に記載された式内社のひとつ

映画「ひるね姫」のロケ地

❺田土浦坐神社

瀬戸大橋のたもとに位置し、下津井の町並みが一望できる神社で、火難除けの神様として慕われています。2017年公開のアニメ映画「ひるね姫」のロケ地として知られ、全国からファンが訪れています。

☎086-472-5330

マークのスポットは日本遺産構成文化財です。

タイムスリップしたかのような異空間

⓰ 名曲喫茶 時の回廊

2015年、鷲羽山のふもとにオープンした
アンティーク喫茶。アンティークなテー
ブルセットや装飾品が並ぶ店内に、クラ
シック音楽のレコードが響きます。地元
の人たちのみならず、県外からのファン
にも愛されている、こだわりの喫茶店で
す。

壁には作曲家の肖像画や写真が並ぶ

📞070-5522-1622 🕐10:00〜18:00 ⏰水曜日
🍵時の回廊珈琲600円など

海沿いのルートで
駅方面へ！

江戸時代末期の木造灯明台

⓱ 旧野崎浜灯明台

下津井から児島に戻ったら、最後にここ
を見学。この灯明台は1863年、塩釜明神
への献灯や、浜へ出入りする船のための
夜間照明を目的に、野﨑武左衛門により
建造されました。西洋式灯台に変わる以
前の灯台を知ることができる、全国的に
も数少ない貴重な遺構です。

コラム

下津井節

「下津井港はョ　入りよて出よてョ　まとも
まぎよて　まぎりよてョ」から始まる下津井
節。下津井節は、江戸時代から船頭たちが花
街の御座敷で歌い継いできた民謡です。この
唄は、北前船によって伝えられたもので、瀬
戸内海や日本海沿岸など、各地に類似の唄が
残っています。

　幕末には「一航海一千両の利益」と言われ
るほど、稼ぎが大きかった北前船ですが、船
の構造は、大きな一枚帆に風をはらんで航行
する帆船でした。下津井節の歌詞にある「ま
とも（真艫）」とは、船の後方から吹く追い風
のこと。「まぎる」とは、向かい風のときに帆
を左右に向けながら、斜めから風を受けてジ
グザグに航行する「間切り走り」をすること
です。つまり、「下津井港は入りやすくて出て

行きやすい。追い風を受けやすく、向かい風
も交わしやすい」ということを唄っており、出
入りしやすく、風待ちや潮待ちの良港であっ
た下津井港の素晴らしさを伝えています。

　この下津井節は、岡山県を代表する民謡と
して、全国的にも有名です。毎年秋には、唄
い手ナンバーワンを競う下津井節全国大会が
児島で開催され、全国から集った老若男女の
名手たちによる競演が行われています。

下津井 風の道コース

6

北前船交易で栄えた港町

玉島
食べ歩きコース

玉島の歴史は、江戸時代に備中松山藩が新田開発を行い、港を開いたことに始まります。かつて北前船の寄港地として賑わった玉島の港を中心に、新町や仲買町には問屋街が形成され、往時の栄華をしのばせる風情ある町並みが残されています。さあ、レトロな港町さんぽのスタートです。

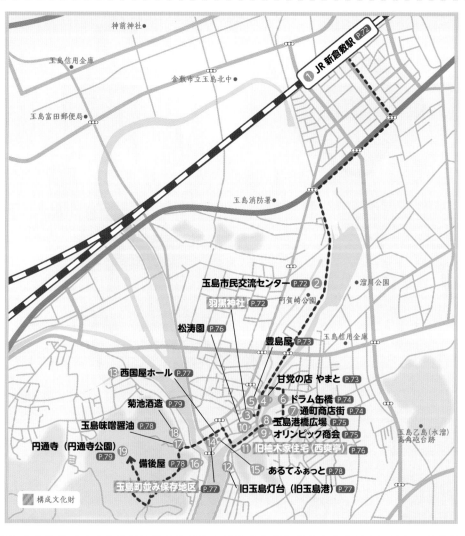

玉島市民交流センター P.72 ②
羽黒神社 P.72
松涛園 P.76
豊島屋 P.73
⑬ 西国屋ホール P.77
甘党の店 やまと P.73
菊池酒造 P.79
⑤ ④
⑥ ドラム缶橋 P.74
③
⑦ 通町商店街 P.74
玉島味噌醤油 P.78
⑱
⑩ ⑧ 玉島港橋広場 P.75
円通寺（円通寺公園）
⑰
⑨ オリンピック商会 P.75
P.79
⑲
⑭
⑪ 旧柚木家住宅（西爽亭）P.76
備後屋 P.78
⑯
⑫
⑮ あるてふぁっと P.78
玉島町並み保存地区 P.77
旧玉島灯台（旧玉島港）P.77

構成文化財

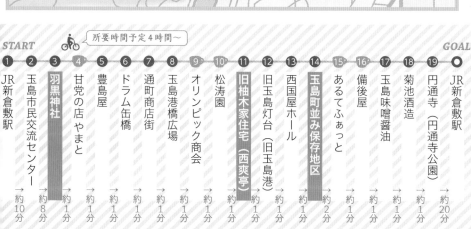

玉島コース

構成文化財

玉島さんぽは電気自転車でここからスタート！

❶ JR新倉敷駅（レンタサイクル）

駅構内2階にある観光案内所のレンタサイクル貸出所で自転車を借りましょう。

レンタサイクル貸出所　📞086-526-8446　🕘9:00〜17:30　休年末年始（12/29〜1/3）　💴普通自転車300円（1日1回）電気自転車500円（1日1回）貸出時間：9:00〜16:30（12:00〜13:00は貸出不可）

新倉敷駅の南口から出発

レンタサイクルは観光案内所で

駅前の大通りを3つ目の信号（左に広島銀行）で右折

"人と情報が行き交う湊"で玉島の歴史を知る

❷ 玉島市民交流センター

交流棟1階の歴史民俗海洋資料展示室には、海とともに暮らし、発展してきた玉島の歴史や民俗に関する貴重な資料や情報が集められています。

📞086-526-1400　🕘9:00〜22:00　休5月・8月・11月・2月の第4月曜日（但し月曜日が祝日の場合は開館、その場合翌日が休館日）、年末年始（12/29〜1/3）　💴無料

国道2号の高架にぶつかるBP停車場線の信号で左へそれ、細い道を溜川に沿って進もう

北前船（千石船）・高瀬舟の模型や玉島風景図巻（玉島絵巻）なども展示

館内にはカフェも設置

拝殿の瓦に鎮座した「からす天狗」が町を見守る

❸ 羽黒神社

1658年、備中松山藩主の水谷勝隆公（みずのやかつたか）が玉島の干拓を行った際に、瀬戸内海に浮かぶ小さな島だった阿弥陀山に建立したのが羽黒神社です。現在の本殿は1845年、幣拝殿は1852年に再建されました。逸見義隆によって作刀から彫刻まで見事に仕上げられた大太刀が奉納されており、県指定重要文化財となっています。

📞086-522-2695　休無休　💴無料

ゆるキャラ「はぐろん」がお出迎え

🌳 🚢 マークのスポットは日本遺産構成文化財です。

きなこおはぎの中にもあんこがたっぷり

④甘党の店 やまと

毎朝、一つ一つ手づくりされるおはぎは、北海道産小豆をはじめ、もち米もきなこもすべて国産を使い、自然な甘みが特長。あんこときなこの2種類（1個70円）のみで、開店直後に行くと、目の前で作る様子が見られます。売り切れ次第、閉店ですが、午前中で完売する日がほとんどです。

☎086-522-5055 🕐9:00〜売り切れ次第閉店 🈺水曜日

行列でも待ち時間は短いので心配無用

住居、事務所、工場が軒を連ねる

タテソースで知られる老舗

⑤豊島屋

1720年に綿・海産物の仲買業として創業し、明治に入り、醤油専業へ。大正時代に食酢製造を始め、1933年に現在の主力製品であるタテソースの製造販売をスタートしました。店を構えるのは、玉島が最も賑わっていた時代の中心地。事務所が開いていれば商品を買うことができ、古くからの看板や絵、チラシなどを見ることもできます。

☎086-522-2148 🕐8:30〜17:00 🈺日曜日、祝日、第2土曜日

玉島港と海運

　江戸時代の初めまで、西高梁川右岸の船穂、長尾、玉島の沖合は、三角州や島々が連なる干潟でした。浅瀬の海の干拓は江戸時代に始まり、港として整備された玉島には、綿栽培の肥料となる干鰯やニシン粕などが降ろされ、干拓地で栽培された綿のほか、塩、鉄などが積み込まれるようになりました。43軒もの問屋や200棟を超える土蔵が家並みをなし、備中綿を売買する「西の浪速」として栄えたのです。柚木家の史料には安永7（1778）年、筑前162、讃岐119、播州93、加賀20、周防10など430艘の北前船と御客船が入港したと記録されています。

　町を見下ろす羽黒神社は備中松山藩主・水谷勝隆が干拓成就を祈って建立したもので、玉垣には函館、秋田、能登輪島、京都、大坂、橋立、阿州、雲州、備後、尾道、芸州大竹、馬関などと彫られています。奉納したのは玉島との交易を結んでいた各地の商人や北前船の船主らで、境内には航海安全を祈願した絵馬も飾られています。北前船とは、江戸時代から明治時代にかけて、北海道と大坂を西回りで結んだ廻船のことです。北海道でニシンや鮭、昆布などを積み込み、日本海と瀬戸内海の寄港地で商ったことから「動く総合商社」として海運の中核を担いました。

玉島コース

VIEW POINT!

ゆらゆらと揺れる地元住民の通り道

❻ドラム缶橋

1980年に玉島1丁目と2丁目を南北に結ぶ浮橋として設置され、ドラム缶が橋脚の代わりをしていることから、ドラム缶橋の名前で親しまれています。ゆっくりと歩いて通る地元住民や三輪車で走る子どもの姿も見られます。

倉敷市立玉島図書館向かい

ドラム缶橋 P.74
倉敷市立玉島図書館
豊島屋 P.73
新堀川緑地
⑤ ④
甘党の店 やまと P.73
⑥
P.74 トイタたこ焼店
羽黒神社 P.72
③ 新港橋
玉井堂
通町商店街
松濤園 P.76
⑩
⑧
百萬両
⑨
オリンピック商会 P.75
みず川 P.74
ジェラート オブラーテ P.75

旧国道にある玉島最古の商店街

❼通町商店街

商店街自体が旧国道にある珍しい商店街には、創業100年を超える商店や和菓子の名店もあり、昭和・大正のレトロな雰囲気に包まれています。

営休 店舗による（木曜日定休の店舗が多い）

GOURMET

玉島
新旧"寄り道"グルメ3選

中華蕎麦 みず川

古い蔵を改築した趣のある店内。中華そば（700円）が看板メニュー。

☎086-527-6700 営11:00〜15:00（14:30OS）、18:00〜21:00（20:30OS） 休日曜日

トイタたこ焼店

トロトロのたこ焼きは玉島人のソウルフード。8個入り150円！

☎086-526-3356 営10:00〜17:00 休月・木曜日＋月1回 日曜日

溜川排水機場から徒歩1〜2分の路地には、「マンホールカード」になった玉島で唯一のマンホールがあり、裏通りを探して見つける楽しみも

水郷の町の情景に出合える溜川沿い

❽ 玉島港橋広場

白壁の蔵屋敷風に建てられた溜川排水機場そばの新港橋では、溜川に海水が流れ込むため、季節によっては、地元の人がママカリを釣り上げる瞬間に出合えます。映画「ALWAYS 三丁目の夕日」のロケ地となった旧港水門は老朽化で取り壊されましたが、通町商店街入り口近くに整備された公園に旧水門のパーツを使ったモニュメントが置かれています。

水辺の風景を眺めながら小休止

創業から変わらない昭和の味

❾ オリンピック商会

もっちりとした皮と優しい甘さのあんが人気の夫婦焼。あずきあん、うぐいすあんのみで、いずれも1個100円。1933年の創業から変わらぬ昭和の味を三代目が守り続けています。

☎086-522-2511 🕐10:00〜18:00 休木曜日

ジェラート オブラーテ
(GELATO OBLATE.)
実家が牛乳店というオーナーがイタリア・フィレンツェで修業し、2018年にオープン。

☎090-4806-8753 🕐11:00〜18:00
※冬期は17:30閉店 休月・火曜日
※但し祝日の場合は営業

創業130年を超える老舗の和菓子屋

❿松涛園

1888年、茶道をたしなんだ初代の亀山芳太郎が店を開き、「客人をもてなす菓子」を職人に作らせたと伝えられています。創業者の菓子作りへの想いを歴代の店主が受け継ぎ、年間約50席の茶席を手がけています。

☎086-526-7655　🕐8:30〜18:00
休年始（1/1・2）を除き無休

港町玉島の栄華を象徴する船の帆を
かたどった銘菓「千石船」

季節を愛でる
上生菓子

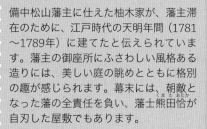

国登録有形文化財

⓫旧柚木家住宅（西爽亭）

備中松山藩主に仕えた柚木家が、藩主滞在のために、江戸時代の天明年間（1781〜1789年）に建てたと伝えられています。藩主の御座所にふさわしい風格ある造りには、美しい庭の眺めとともに格別の趣が感じられます。幕末には、朝敵となった藩の全責任を負い、藩士熊田恰が自刃した屋敷でもあります。

☎086-522-0151　🕐9:00〜17:00　休月曜日
（但し月曜日が祝日の場合は開館、翌日が休館）、年末年始（12/28〜1/4）　料無料

玉島港の安全の道しるべ

⓬旧玉島灯台（旧玉島港）

1951年から玉島柏島の八幡山から玉島港を行き来する船を照らし続けた旧玉島灯台。42年間にわたる役目を終え、川崎みなと公園の一角に、上層部がモニュメントとして移設保存されています。地元の人の散歩コースです。

問屋街の繁栄を象徴する内側がなまこ壁の土蔵

⓭西国屋ホール

新町問屋街の最盛期に栄えた回船問屋の蔵を、白壁の重厚な造りや高い天井はそのままに改装し、誰でも利用できる多目的スペースに。蔵の内側にも天井まで張り巡らされたなまこ壁は圧巻です。
📞086-525-5711　🕐9:00～19:00（要予約）　休要相談
💴5,250円～（要相談）／見学のみ（要相談）

明治時代に描かれた「備中國玉島港之圖」。北前船の寄港地であった江戸期の玉島港の様子が詳細に描写されている。絵図の中央右にある堤防が、現在の新町通りにあたる

港町の繁栄を今に伝える商家や土蔵の数々

⓮玉島町並み保存地区 🍃🌙

新町、仲買町、矢出町などから成る玉島町並み保存地区は、1995年に岡山県の町並み保存地区に指定されました。虫籠窓や格子、漆喰壁やなまこ壁を今に残す本瓦葺き塗屋造りの商家や土蔵が保存地区には多く現存し、玉島の最盛期に思いを馳せることができます。

新町（倉敷市玉島中央町1丁目の一部）、仲買町（玉島阿賀崎の一部）、矢出町（玉島3丁目の一部）

羽黒神社から望む新町通りの町並み

その名の通り、仲買人たちが集まった通りでは、味噌、醤油、造り酒屋など、伝統的な地場産業が今も営まれている

🗨🌙マークのスポットは日本遺産構成文化財です。

週2日営業になっても名物みそぱんは健在

⑮ あるてふぁっと

店主が焼く食パンにはファンが多く、金・土曜日のみ営業中。名物みそぱんは、玉島味噌醤油の味噌を使った自家製クリームがクセになる味わい。お昼を過ぎると、オリジナルブレンドのコーヒーも楽しめます。

☎086-525-5711 ⏰10:00〜18:00 休日曜日〜木曜日

離れの個室で食事を楽しむ贅沢な時間

⑯ 備後屋

ウバメガシの古木に囲まれた港を見下ろす風光明媚な離れの宿は、1914年から玉島を訪れる旅人をもてなしてきました。山の斜面に点在する数奇屋造りの部屋はそれぞれに趣が異なり、プライベートな空間で、瀬戸内海の幸を楽しむ心尽くしの料理を堪能できます。

☎086-522-3432 ⏰昼11:30〜14:30（OS13:45）／夜17:30〜21:00 休不定休 ※食事・宿泊ともに要予約／庭の散策のみも応相談

「仲買人が集まる問屋街」の歴史を伝える

⑰ 玉島味噌醤油

江戸時代中期から商売を手がけ、1920年に味噌や醤油の専売業として創業。現在は六代目の中野旬一さんが、代々受け継がれた醤油と味噌の味を守りながら、訪れる人に仲買町の歴史を伝えています。

☎086-522-3418 ⏰9:00〜17:00 休土・日曜日、祝日 ※見学は要予約

モーツァルトの音楽が醸す倉敷の地酒

⑱菊池酒造

倉敷の地酒「燦然」の蔵元として知られる菊池酒造は、1878年に創業。モーツァルトの音楽が流れる蔵の中で、雄町や朝日といった岡山が誇る酒米を使って醸された地酒は、日本国内のみならず、海外の品評会でも高く評価されています。

☎086-522-5145　🕐10:00〜16:00（12:00〜13:00を除く）　休土・日曜日、祝日

良寛和尚修行の地は桜と紅葉の名所

⑲円通寺・円通寺公園

「良寛さん」と親しみを込めて呼ばれる良寛和尚が若いころに修行した寺が曹洞宗円通寺です。石組の庭と葦屋根を配する、荘重な雰囲気の境内から少し歩くと、隣接する円通寺公園があり、春の桜と秋の紅葉の時期には多くの人で賑わいます。

☎086-522-2444（円通寺）　※長い坂道が続くので自転車は要注意

VIEW POINT!

玉島の町並みを見下ろす
円通寺からの眺め

石組の庭

玉島コース

倉敷市の日本遺産ストーリー **3**

「桃太郎伝説」の生まれたまち おかやま
～古代吉備の遺産が誘う鬼退治の物語～

桃太郎の物語は、吉備を支配していた温羅を吉備津彦命が退治したという伝承から生まれ、そのもととなったのが大和と吉備の勢力争いだといわれています。吉備には今でも古墳時代からの風が吹き、一歩足を踏み入れると悠久の歴史ドラマに身をおくことができます。

温羅（鬼）退治の伝説

　弥生時代後期（2～3世紀）には、吉備に政治的なまとまりが生まれ、独自の文化が芽を吹きました。古墳時代（4～6世紀）には、県内に多くの古墳が築かれ、その数1万1810基は、全国5位を誇ります。「日本書紀」や「古事記」には吉備と大和の争いが記されていますが、2世紀末に築かれた楯築遺跡や5世紀前半の造山古墳、6世紀後半と考えられている箭田大塚古墳などは、吉備が大和に匹敵する勢力を持っていた証にほかなりません。

　温羅の居城・鬼ノ城からは「吉備の穴海」に浮かぶ島々と、営々と築かれていく吉備の国が俯瞰できたはずです。その中のひとつ、楯築遺跡は弥生時代の墳墓としては最大規模を誇ります。中心の円丘を取り囲む巨大な5つの立石は、吉備津彦命が温羅との戦に備えて築いた楯で、楯築神社の御神体「旋帯文石」は、吉備津彦命が使った空飛ぶ乗り物であるとも伝えられています。こうもり塚古墳、牟佐大塚古墳とともに「吉備三巨石古墳」と称される箭田大塚古墳は、吉備真備の先祖である下道氏の墓であると考えられています。

特集

倉敷のおみやげ

日本遺産めぐりのおみやげにぴったりな、倉敷の自慢の特産品をご紹介します。

マスキングテープ

工業用テープだったマスキングテープをカラフルなデザインの雑貨に。女性を中心に人気を集めています。

キャンドル

ブライダルなどイベント用キャンドルの生産で高いシェアを占める倉敷。手作り体験も楽しめます。

マスカット

上品な味と香りが特長の「果物の女王」。小高い丘陵地が広がる船穂地区は県内最大の生産地です。

桃

甘い香りとやわらかな食感が楽しめる、「果物王国」岡山を代表するくだもの。その上品な白さが特長。

スイートピー

全国有数の産地である船穂のスイートピーは、50種類を超える多彩な色があり、花もちも良いのが特長です。

たこ

下津井沖で水揚げされる「下津井ダコ」が有名。「一年でおいしくない時期は3日だけ」と言われるほど。

連島ごぼう

高梁川改修工事跡の砂地でつくられているごぼう。肌が白く、アクが少ないのが特長です。

竹製品

たけのこの産地真備町では、竹製小物細工や竹家具、雑貨など多種多様な竹製品が作られています。

索引

倉敷市日本遺産推進協議会

歴史文化や経済・観光の関係団体、公共交通機関、行政などの多様な主体が集まり、平成29年6月に設立されました。
当協議会は、倉敷市の3つの日本遺産を生かした地域の魅力向上と活力創出の取り組みを行い、郷土への愛着と誇りの醸成、産業・観光振興などの地域活性化につなげることを目的としています。

監　　　修	小西伸彦
取材・執筆	黒部麻子　溝口仁美　江原紀子
イラスト	仲田未来
撮　　　影	畑勝明
写真提供	岡山県観光連盟、樋口輝久、株式会社テオリ
編　　　集	山川隆之、金澤健吾（株式会社吉備人）
デザイン	守安涼（株式会社吉備人）

自転車とさんぽで

日本遺産・倉敷めぐり

「一輪の綿花から始まる倉敷物語」を訪ねて

2020年3月31日　発行

編　　　者	倉敷市日本遺産推進協議会
発　　　行	倉敷市日本遺産推進協議会　事務局 倉敷市企画財政局　企画財政部　企画経営室内　日本遺産推進室 〒710-8565 倉敷市西中新田640番地 電話 086-426-3018　ファクス 086-426-5131
制作・発売	吉備人出版 〒700-0823 岡山市北区丸の内2丁目11-22 電話 086-235-3456　ファクス 086-234-3210 ウェブサイト www.kibito.co.jp メール books@kibito.co.jp
印　　　刷	株式会社クニフク
製　　　本	日宝綜合製本株式会社

©倉敷市日本遺産推進協議会 2020, Printed in Japan
乱丁本、落丁本はお取り替えいたします。ご面倒ですが小社までご返送ください。
ISBN978-4-86069-614-6　C0026

リサイクル適性Ⓐ
この印刷物は、印刷用の紙へ
リサイクルできます。